言いたいことは山ほどある

言いたいことは山ほどある

元読売新聞記者の遺言

山口正紀

旬報社

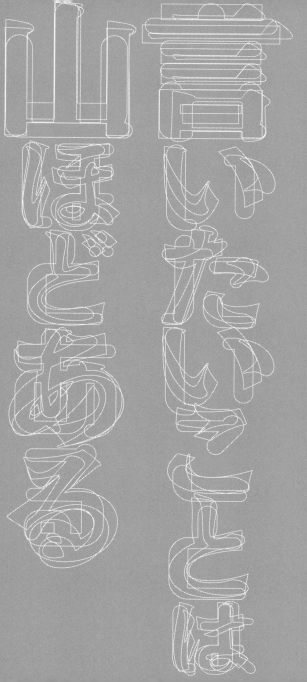

はじめに

私は一九四九年、大阪府に生まれ、一九七三年に読売新聞に入社した。約三〇年間新聞記者として取材・編集・報道の仕事に携わった後、二〇〇三年末、読売新聞を中途退社。以後フリージャーナリストとして活動してきた。

私は「読売」入社直後から新聞報道のありよう、「新聞記者であること」に悩んできた。権力を監視し、市民の人権を守るべき立場にあるメディアが、いつのまにか警察など権力の情報操作に操られて権力の一部と化し、市民を苦しめている。

その最たる例が、警察情報を鵜呑みにして逮捕された人を犯人視し、プライバシーを暴き立てて取り返しのつかない被害を与える犯罪報道だ。自分はそんな人権侵害のために記者になったのではない。そんな思いから、一九八五年に発足した「人権と報道・連絡会」に参加し、以後報道被害者の支援に関わってきた。その一方、社内で記事を書ける部署を次々と奪われたため、社外メディアで報道批判の活動に取り組んできた。

二〇〇二年、『週刊金曜日』の「人権とメディア」欄で「日朝国交交渉」を巡って書いた「拉致一色」報道批判の記事が社内で問題にされ、不当な人事異動の上、『記者職』を剥奪された（『さようなら読売新聞――メディアが市民の敵になる』現代人文社刊、参照)。

それをきっかけに、私は「読売」を退社、以後、『週刊金曜日』やインターネットメディア「レイバーネット」などで、翼賛化の一途をたどる大手メディアの報道検証や強まる憲法破壊の動き、とりわけ安倍晋三政権の壊憲政治批判に力を注いできた。また、「人権と報道・連絡会」以来ライフワークとなってきた冤罪や死刑廃止、メディアによる人権侵害の問題でも精力的に取材し、書きたいことを書いてきた。

私はレイバーネットで始まった「レイバーネットTV」――「市民による市民ためのメディア」の活動にも積極的に参加するようになった。大手メディアが取り上げようとしないテーマに市民運動が直接切り込み、当事者の生の声を伝える。ネット時代の新しい市民メディアの誕生だ。私はそれに参加することに大きな喜びを覚えていた。

二〇一八年八月、講師として参加したレイバーネット合宿で体調不良を覚えた。精密検査の結果、末期の肺がん(手術も放射線治療も効かないステージⅣ、生存率五%未満の肺がん)と診断された。がんはすでに全身に転移していた。

以来すでに約四年以上たつ。抗がん剤による治療、最新の分子標的薬による遺伝子治療が奏功し、妻の献身的な介護と食事療法もあいまって、なんとか生き延びてきた。

とはいえ、全身の衰弱から取材活動はほとんど不可能になり、「ジャーナリストとしての活動もこれまでか」と思うようになっていた。

そんな中で、レイバーネットの仲間であり、優れた映像ジャーナリストである松原明さんから繰り返し、温かい励ましを受けてきた。それに対する病状報告を兼ねた私の返信の一部が二〇二〇年四月一一日付で、レイバーネットに掲載された。もともと記事として書いたものではなかったが、松原さんはこの返信の一部に写真に見出し、「言いたいことは山ほどある」とのタイトルまで付けて掲載してくださった。その一部が以下の記事だ。

「緊急事態宣言」で大政翼賛のメディア統制が始まった！

コロナ問題については、安倍・厚労省などに言いたいことが山ほどあります。そもそも春節前、すでにコロナが流行していた中国からの渡航制限をするどころか、「歓迎」メッセージを送って大量のウイルスを国内に持ち込ませたこと、東京五輪開催を至上命題にし、コロナウイルス感染者の数を少なく見せようと本来やるべきPCR検査を徹底的にさぼり（というより厚労省の主導で検査を妨害）し、見えない感染者・肺炎死者を大量に作り出して感染を蔓延させたこと。この二つだけでも安倍政権はコロナ感染拡大に犯罪的な役割を果たしたのですが、大手メディアはその責任追及に終始及び腰で、今日の事態を招いてしまいました。

肺炎による死者の中には、検査をしなかったためにコロナとカウントされなかった患者が相当数いるようです。葬儀社は、肺炎による死者をコロナ患者として扱い、志村けんさんと同じように、遺族に死に顔も見せないそうです。コロナ問題は、今の日本社会が抱える社会問題をいっきに先鋭化させ、非正規労働者や女性を始めとして社会的弱者を集中的に痛めつけています。ところが安倍は、自分たちが悪化させたコロナ問題を自身の「桜を見る会」疑惑、森友疑惑などの隠蔽に悪用し（まさに放火犯による火事場泥棒）、緊急事態宣言の名で大政翼賛ムードを作り、宿願の壊憲策動に結びつけたわけです。

大手メディアはすでにごく一部（テレ朝・TBSの一部番組）以外、政府広報と化しています。安倍の緊急事態宣言記者会見は、全く内容がない自己宣伝だったのに、テレビ全局が予定していた番組を中止し、約二時間にわたって「安倍独演会」を生中継しました。まさに「緊急事態宣言」という名で大政翼賛のメディア統制が始まった、と思いました。安倍は、不都合な真実（検査妨害による感染拡大、感染拡大に備えた医療体制整備の怠慢など）を隠しつつ、それを追及する番組・ジャーナリスト・医師（テレビ朝日の玉川氏や岡田医師）を名指しで攻撃しています。

全く腹の立つことばかりです。大きな批判を浴びているアベノマスクが送られて来たら、大きな字で「アベノー」と書いて外出しようかと思っています。今、こんな大事な時期に、「超ハイリスク」のため、行動を大幅に制限されている現実を悔しく思っています。肺がんや脳梗塞を抱えながらも、何とか生き延びてまた社会的な活動に加わりたいと思っています。レイバーネットTV、大いに期待しています。皆さんの不屈の活動に心から敬意を表します。

＊編集部注：筆者は二〇一八年秋以来、肺がんステージⅣと闘病中

松原さんからは「ぜひこの調子で、月に一回程度、コラムを書いてほしい」との依頼があり、読者からも温かい反響があって、何とか月一回、体調の良いときを見計らって、記事を書くようになった。それが闘病生活にも大きな力になったと確信する。全身の骨転移は一層広がり、最近では椅子に座っているのも辛くなってきた。コラムでは安倍銃撃事件について取り上げようと、記事・資料を集めたが、いまだに書けないでいる。それが心残りだ。まさに「言いたいことは山ほどある」のだが……。

＊本書は、全てのコラムを掲載したものではありません。また、いくつかのコラムの最後に、注釈を編集作業担当者の方で入れました。これは原稿執筆以降の動きについて捕捉したものです。

言いたいことは山ほどある◎目次

2022年

2020

第一次再審請求を棄却した判事が第二次請求の裁判長に？

――日野町事件で大阪高裁がトンデモ人事（六月二五日）

大阪高裁で今、前代未聞のとんでもない裁判官人事が強行されようとしている。友人からのメールで知り、「そんなことがあり得るのか」と目を疑った。

二〇一八年七月に大津地裁で再審開始決定が出された「日野町事件」の第二次再審請求。その即時抗告審の裁判長が交代し、後任に岡山家裁所長から大阪高裁第二刑事部総括判事に異動したばかりの長井秀典判事が就くことが六月一七日、高裁から弁護団に伝えられた。

長井秀典――弁護団や支援者にとって、忘れることのできない名だ。二〇〇六年三月、第一次再審請求審で請求を棄却した大津地裁の裁判長である。

一度審理に関わって〝有罪認定〟した裁判官が、後に「再審開始決定＝事実上の無罪認定」が出た同じ事件で、再び審理を担当する？　そんなことがあり得るのか。それほど裁判所は人手不足なのか。いや、再審開始決定を覆すための人目をはばからない最高裁人事？

憲法三七条は「公平な裁判所」の裁判を受ける権利を保障している。大阪高裁は、これを真っ向から踏みにじろうとしている。こんな不公平裁判をいったいだれが信用するのか。

日野町事件とは――。一九八四年一二月、滋賀県東部の日野町で、酒店を経営する女性が行方不明になった。翌年一月、町内の宅地造成地で遺体が発見され、四月には被害者宅から盗まれた手提げ金庫が近くの山中で発見された。

それから約三年経った一九八八年三月、この酒店でコップ酒を飲む常連客だった阪原弘さん（当時五三歳）が日野警察署に呼び出された。阪原さんは連日、脅しや暴行を交えた長時間の取調べを受けて「犯行を自白」させられ、強盗殺人容疑で逮捕された。

この事件では、「自白」以外に証拠はなく、自白の殺害方法も遺体の鑑定結果と矛盾し、事件当日のアリバイもあった。阪原さんは裁判で終始一貫無実を訴えたが、一九九五年六月・大津地裁で無期懲役判決、一九九七年五月・大阪高裁で控訴棄却、二〇〇〇年九月・最高裁で上告棄却となり、有罪判決が確定して服役を余儀なくされた。

二〇〇一年一一月、阪原さんは日弁連の支援を受け、大津地裁に裁判のやり直しを求めて再審を請求した。審理では、自白と遺体鑑定や現場の状況が合致せず、アリバイをめぐる新証拠も提出された。しかし、長井裁判長は二〇〇六年三月、自白通りの方法では遺体の傷を説明できないことなど「いくつかの疑問点がある」ことを認めながら、「別の絞め方をすれば同様の傷がつく」「自白は事件から三年以上経過しており、記憶違いと理解できる」などと一方的な解釈認定で請求を棄却した。

証拠によって明らかになった客観的事実と自白の矛盾。そんな辻褄の合わないことを事実認定に基づいて判断するではなく、「予断による想像力」で糊塗し、覆い隠す。それが、長井裁判長の手法だった。

広島刑務所で服役していた阪原さんは二〇一〇年、体調を崩した。食欲を失い、体重が極端に減って一二月、肺炎で重篤な状態に。家族などの要請で検察庁が刑の執行を停止し、広島市内の病院に入院したが、二〇一一年三月、東日本大震災の一週間後に亡くなった。

これにより、大阪高裁で審理中だった再審請求は打ち切りになったが、翌二〇一二年三月、遺族が本人に代わって大津地裁に第二次再審請求を申し立てた。

第二次再審請求では、阪原さんが手提げ金庫を捨てた現場まで捜査員を案内したとされる実況見分調書の写真が証拠開示された。この実況見分調書は自白を裏付ける証拠とされてきたが、開示された写真一九枚のうち八枚は、「往き」ではなく「帰り」に往路写真を装って撮影されたことが判明、「警察官の誘導なしに現場を案内した」としてきた検察の主張とともに自白の信用性も崩れた。

弁護団は、殺害方法などに関する新たな鑑定書も提出し、有罪根拠がほとんど破綻。二〇一八年七月、大津地裁（今井輝幸裁判長）は弁護側の主張を認め、再審開始を決定した。

これに対して検察は即時抗告し、大阪高裁でその審理が続いている。そのさなか、突然伝えられた裁判長交代人事だ。弁護団は六月一八日、第一次請求に関わった長井判事が再び事件を担当することについて、「審理及び判断の公平性に対し、重大な疑問を抱かざるを得ず、裁判所あるいは再審手続きに対する社会的な信頼を大きく損なうことにもなりかねない」として、長井判事に自ら審理関与を退く「回避」を求める要請書を提出した。

日弁連（荒中会長）も二五日、「第一次再審請求当時前記判断（筆者注：棄却決定）をした裁判長が、本件において再び裁判長を務めることになれば、実質的に過去の自らの判断の当否を審理することになり、予断を持って審理に臨むのではないかとの懸念を生じ、裁判の公正さが疑われる」などとする会長声明を発表した。「冤罪日野町事件関西連絡会議」や日本国民救援会は、大阪高裁に長井裁判長の即時交代を求める要請書を提出すべく、全国に協力・支援を呼び掛けている。

「長井秀典」と言えばもう一つ、別の冤罪事件で有罪判決を出した「前歴」がある。今年三月、大津地裁が再審無罪判決を言い渡した「湖東記念病院事件」だ。

二〇〇三年五月、滋賀県近江市の同病院で入院患者の人工呼吸器チューブを外し、窒息死させたとして看護助手の西山美香さんが殺人罪で逮捕・起訴された。一審大津地裁・長井裁判長は無実を訴えた西山さんに対し、「自白は信用できる」として懲役一二年の有罪判決を言い渡した。西山さんは二〇一七年まで和歌山刑務所で服役生活を強いられた。

こんな誤審・誤判まみれの人物が、その責任を問われることもなく「出世」し、家裁所長を経て高裁刑事部総括判事になり、再審事件を担当する。そのこと自体が驚きだ。

そして、大手メディアの責任。今回のトンデモ人事、関西エリアでは一部新聞で報道されたそうだが、私の知る限り東京エリアではニュースになっていない。常習賭博の高検検事長を検事総長にという法務省・検察長人事も言語道断だが、今回の裁判長人事は、日本の裁判史に重大な汚点となる許し難い不公平・不公正人事ではないか。

それを重大なニュースととらえることができない司法記者、大手メディアの「ニュース価値判断」の劣化も問われる。

続報・大阪高裁が日野町事件再審のトンデモ人事を撤回（六月二七日）

二〇一八年に大津地裁で再審開始決定が出た「日野町事件」第二次再審請求の即時抗告審で、大阪高裁は第一次再審請求を棄却した長井秀典判事を再び裁判長に据える人事を進めようとしていたが、弁護団や支援者の強い抗議を受け、六月二六日、この人事を撤回した。

即時抗告審の係属部を、長井判事が総括判事を務める高裁第二刑事部から第三刑事部に変更したもの。即時抗告審は第三刑事部の岩倉広修判事が担当することになり、「予断を持った裁判長」による不公正裁判は回避された。ただ現在の再審制度には、裁判官が同一事件の審理に関わることを禁じる規定がなく、再審法の不備も浮き彫りになった。

この裁判官人事をめぐっては、弁護団（伊賀興一団長）が六月一八日、「審理及び判断の公平性に対し、重大な疑問を抱かざるを得ず、裁判所あるいは再審手続きに対する社会的な信頼を大きく損なうことにもなりかねない」として、長井判事に審理関与の回避を求める要請書を出した。また日弁連（荒中会長）も二五日、「裁判の公正さが疑われる」などとして撤回を求める会長声明を発表。同日夜には支援者が大阪市内で緊急集会を開き、故・阪原弘さん（二〇一一年死去）の再審請求を引き継いだ遺族らが長井裁判長の交代を訴えるなど、不当な裁判長人事の撤回を求める声が高まっていた。

二七日付『京都新聞』（WEB版）によると、裁判長交代は、《長井裁判官の辞退ではなく、高裁内で協議した結果》で、《同課は「事案を総合的に考慮した」としている》。であれば、最初から「総合的に考慮」して同一裁判長による審理を回避すべきだった。

刑事訴訟法（第二〇条、二一条）は、前審に関与した裁判官が上級審の審理に関わることを禁じているが、再審に関してはこの規定を対象外とする最高裁判例（一九五九年）がある。それが今回のようなトンデモ人事の背景にあり、再審法の改正がぜひとも必要だ。


再審手続きをめぐっては近年、証拠開示の制度化、再審開始決定に対する検察官の不服申し立ての禁止など、再審法改正を求める声が大きく高まっている。

冤罪事件では、検察が被告人に有利な「無罪証拠」を隠し続け、再審請求でもそれが大きな壁になってきた。一方、布川事件、松橋事件など、再審が実現した事件では、弁護側の粘り強い活動と裁判官の訴訟指揮によって、検察が長年隠してきた証拠が開示され、それが決定打になって無実が立証されるケースがある。

また、地裁・高裁でようやく再審開始決定が出ても、検察側が不服を申し立てて審理を上級審に持ち込み、審理が長期化して、高齢化する冤罪被害者を苦しめてきた。再審開始決定は、確定判決の判断に重大な疑問のあることが明らかになって出されるのであり、冤罪被害の早期救済のためには、検察の反論は再審を開いてから行うべきだ。

そのうえ許し難いことに、袴田事件、大崎事件など、検察の不服申し立ての結果、ようやくかちとった再審開始決定が、高裁・最高裁で覆される事例も少なくない。

それら冤罪被害者を苦しめてきた大きな原因が、再審手続法の不備だ。現行再審法の規定はわずか一九条しかなく、訴訟指揮などの判断が裁判官の裁量に任されており、その判断の公正さが制度的に保障されていない。

そうした再審法の根本的な見直し・改正を求め、「再審法改正をめざす市民の会」が二〇一九年五月に結成された。布川事件の桜井昌司さん、東住吉事件の青木惠子さんら冤罪被害者と家族、弁護士や元裁判官など法曹関係者や学者、それに映画監督の周防正行さんやジャーナリストなどが集まり、再審法改正案の早期国会提出を目標に活動に取り組んでいる。

また、日弁連も同年一〇月の日弁連大会で「冤罪被害者を一刻も早く救済するために再審法の速やかな改正を求める決議」を採択し、再審法改正の運動を本格化した。

冤罪は、警察・検察・裁判所の三者が一体となって犯す国家権力犯罪であり、それを監視・告発するのがジャーナリズムの仕事だ。メディアは再審開始決定で「よかった」報道をするだけではなく、再審法改正へ世論を喚起する報道にも力を注いでほしい。

憲法二一条を踏みにじる学校・警察・裁判所一体の権力犯罪

――ビラ配り高校生の不当逮捕・勾留（七月二五日）

七月八日朝、東京都目黒区の公道で、高校の水泳授業のあり方を批判するビラを配っていた高校生が近隣の中学校副校長に「公務執行妨害の現行犯で私人逮捕」された。

レイバーネットに掲載されたレポートを読みながら思った。この国は今、憲法を尊重、擁護すべき立場にある公務員＝教員、警察官、裁判官が結託して憲法を踏みにじるようになった。長引くアベ政治の下、もはやまともな人権感覚はマヒしてしまったのか……。

レイバーネットの記事、映像によると、「事件」の概略はこうだ。

八日朝、目黒区立第九中学校近くの路上で、高校生Iさんが「寒くてもコロナ禍でもプール強行！」との見出しのビラを中学生に配っていると、同中の高橋秀一副校長がビラ配りをやめるよう言ってきた。近くの都立小山台高校の水泳授業を批判する内容だ。

前日もこの副校長からビラ配りの妨害を受けていたIさんは、「公道上でのビラ配りであり、何も問題はない」と抗議したが、副校長は執拗にビラ配布の中止を要求。そのうち校長も現場に現われ、ビラ配りをや

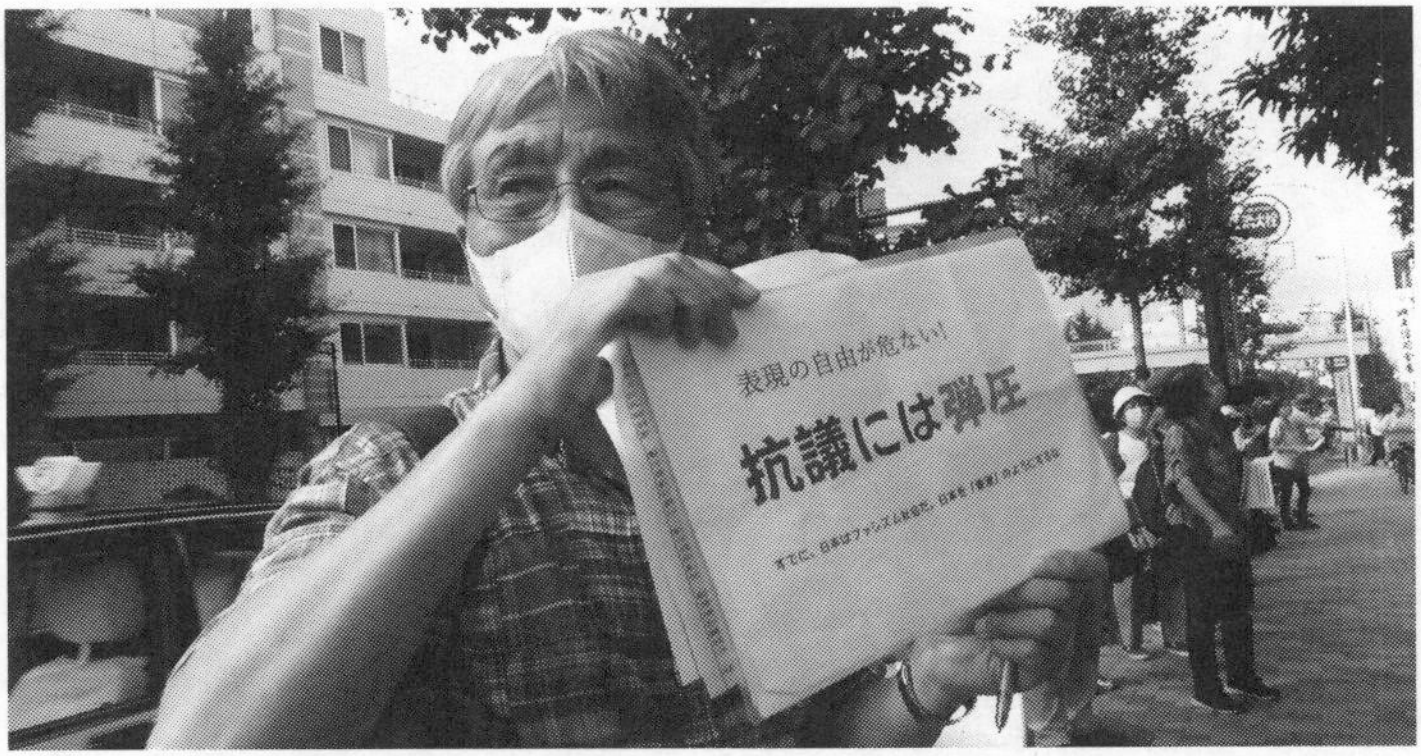

逮捕・勾留に抗議する人。（写真提供：松原明）

めさせようとした。

Iさんはその様子を記録しておこうと、スマートフォンで撮影を始めた。すると副校長は「肖像権の侵害だ」などと言いながら、スマホを取り上げようとした。副校長は「アイタタ」「スマホで殴られた」などと言い出してIさんの身柄を拘束し、警視庁碑文谷署に通報した。約二〇分後、署員が駆けつけ、Iさんは同署に連行・勾留された。

逮捕の「体裁」は、「私人（常人）による公務執行妨害罪の現行犯逮捕」だという。勾留の「被疑事実」は、「被疑者は高橋（副校長）の右手を携帯電話機で殴打する暴行を加え、もって同人の職務の執行を妨害したもの」とされている。

公安警察の実態を少しでも知る人は、「なんだ、これは。まるで転び公妨じゃないか」と思うはずだ。被疑事実のない市民を何が何でも逮捕するため、公安警察官が「標的」の体にぶつかるなどしてわざと転び、「公妨」と叫んで同僚警察官に標的を逮捕させるでっち上げの手口。副校長はこんな公安の常套手段をいったい、いつどこで学んだのだろうか。

そもそも、ビラ配りをやめさせることは、副校長の「公務」(校務？)なのか。現場は中学校の敷地ではなく、校門からも二〇〇メートル以上離れた公道だ。Ｉさんが中学生の登校を妨害した事実もない。

この「事件」で問われるべきは、ビラ配りを妨害した副校長たちの行為であろう。憲法二一条違反、表現の自由を侵害する人権侵害以外のなにものでもない。

副校長らによるＩさんの身柄拘束は、「私人(常人)逮捕」とされている。だが、これも常軌を逸した違法かつ重大な人権侵害だ。

私人逮捕は、「現行犯人は、何人でも、逮捕状なくしてこれを逮捕することができる」(刑事訴訟法二一三条)との規定に基づく。ただし、それには条件がある。犯人が現行犯人であること(同二一二条)、犯人が逃亡する恐れがある場合(同二一七条)などだ。その要件を満たさない私人逮捕は、逆に逮捕監禁罪や暴行罪に問われる。

Ｉさんがスマホで副校長らの行動を撮影しようとした行為は、どう拡大解釈しても「公務執行妨害の現行犯」にはならない。副校長らのビラ配り妨害は「公務」ではない。「逃亡する恐れ」もなかった。現にＩさんは現場にとどまっていた。

副校長による身柄拘束は、「私人逮捕の要件」を満たさない。不当にIさんの身柄を拘束したものであり、刑法二二〇条の逮捕監禁罪が成立する明らかな犯罪行為だ。

高橋副校長に「私人逮捕」の手口を指南したのは、おそらく公安警察官だ。碑文谷署は、副校長の言い分を鵜呑みにし、でっち上げた容疑でIさんの身柄を拘束、勾留した。

こんな学校と警察が結託した不当逮捕、人権侵害をチェックするのが、法の番人たる裁判所の本来の役割だ。ところが、東京地裁はIさんの勾留・勾留延長をノーチェックで認めた。そればかりか、Iさんに対する「勾留理由開示」の手続きで、学校・警察による権力犯罪・人権侵害を追認する共犯者になった。

傍聴者のレポートによると、一七日の勾留理由開示手続きは、悪名高い「地裁四二九号警備＝弾圧法廷」で開かれた。私はこれまで何度も四二九号法廷を傍聴・取材してきた。

傍聴者は、裁判所入り口、法廷入り口で二回にわたって所持品・身体検査をされ、バッグや財布、携帯などの持ち物を取り上げられる。法廷では、笑い声を洩らしただけでも退廷を命じられ、屈強な警備員に抱えられて裁判所構外に放り出される。レイバーネットではおなじみの「裁判所前の男」大髙正二さんの裁判、秘密保護法強行採決に反対して国会で議場に靴を投げた男性の裁判など、「権力に逆らった人々」を傍聴者ともども「凶悪犯」扱いしてきたのが、この四二九号法廷だ。

東京地裁は、こんな国家権力むき出しの暴力法廷を、ビラ配りをしていただけで公務員たちに不当逮捕された高校生のために「用意」した。佐藤薫裁判長は、弁護人が何を聞いても「答えられない」を連発し、勾留理由を開示しようとはしなかった。そして、それに抗議した傍聴者に退廷命令を出し、法廷外・裁判所構外に暴力的に放り出した。

学校・警察・裁判所が結託したあからさまな権力犯罪。それをチェックする最後の砦が、マスメディアだ。ところが、問題の四二九号法廷について司法記者クラブはこれまで、「知らぬ顔」を決め込んできた。私やビデオプレスの松原明さんが大高裁判で「弾圧法廷の実態を報道してほしい」と記者クラブ幹事に取材を要請しても、無視されてきた。

今回は、『東京新聞』が四二九号法廷を取材し、七月一八日付「こちら特報部」欄に、《表現の不自由次々に／中学校近くの公道でビラ配り／副校長注意でトラブル、現行犯逮捕》の見出しで大きく報道した。弾圧法廷の暴力実態までは記事化されなかったが、弁護人の質問にほとんど答えない裁判官の姿、勾留理由「不開示」の実態は報じられた。

だが、『東京新聞』以外のメディアは、今回も沈黙している。

憲法を尊重し、擁護する義務（憲法九九条）を負う公務員——教員・警察官・裁判官たちが、ビラを配る高校生から表現の自由を奪い、逮捕監禁の罪を犯している。

憲法をあからさまに踏みにじる公務員たちの権力犯罪は、「知る権利」に奉仕するはずのメディアが市民に伝えるべき最も重大なニュースではないか。

注——Iさんは二〇日間の勾留後、七月二八日に処分保留で釈放された。

メディアは「少年法厳罰化」に加担するのか

──少年の立ち直りを妨げる「実名報道解禁」案（八月二一日）

新型コロナ禍のどさくさにまぎれ、安倍晋三政権・法務省が、少年法の精神を踏みにじる「実名報道解禁」など「一八・一九歳少年法厳罰化」の大改悪を企んでいる。

法制審議会の少年法・刑事法部会は八月六日、少年法「改正」に関する議論の「取りまとめに向けたたたき台」を公表した。法務省が目論む「少年法適用年齢の一八歳未満への引き下げ」は見送られたが、実質それに近い「一八・一九歳の厳罰化」が盛り込まれた。家庭裁判所から検察官に送致（逆送）して少年を刑事裁判に付す対象事件を大幅に増やし、検察官が起訴すれば氏名や顔写真など本人を特定できる「少年実名報道」も解禁するという。

凶悪犯罪も含め少年事件が大幅に減少する中で、今なぜ厳罰化なのか。メディアは「少年実名報道」で安倍政権・法務省に加担するのか。報道機関のあるべき姿が問われている。

この議論のきっかけは、成人年齢を一八歳とする民法改正（二〇二二年四月施行）。法務省は一七年二月、民法改正に合わせて「少年法の適用年齢を一八歳未満に引き下げることの是非」について法制審に諮問した。

ことあるごとに「少年法厳罰化」を進めてきた法務省と自民党は、民法改正に便乗し、少年法適用年齢の引き下げを目論んだ。

しかし、これをめぐっては、少年事件に関わってきた元裁判官や家裁調査官、少年院の関係者、弁護士などの間から、適用年齢引き下げに反対する声が次々と上がった。

まず、少年事件そのものが大幅に減少している。警察庁の「犯罪白書」（一九年版）によると、一八年の少年刑法犯の検挙件数は約二万三〇〇〇人で一五年連続して減少し、〇八年に比べて約四分の一に激減、殺人などの凶悪犯罪も一貫して減少傾向を続けている。

そんな中で、今なぜ適用年齢を引き下げる必要があるのか。処罰より立ち直りのための教育を重視する少年法は有効に機能している。可塑性の高い一八・一九歳を少年法の枠組みから外してしまうと、立ち直りの機会を奪うことになるのではないか——。

こうした反対論に押された法務省は、適用年齢の引き下げについて当面、判断を見送る方向に転換した。代わって登場したのが、「一八・一九歳厳罰化」方針だ。

少年法では、罪を犯した少年は全員家裁に送られる。現行法は、このうち殺人、傷害致死などの重大事件に限り、成人と同じ刑事裁判に付すため家裁から検察官に送致（逆送）する仕組みをとっている。この「逆送対象」を大幅に増やそうというのが、今回の「たたき台」。一八・一九歳については、「法定刑の下限が一年以上の懲役などの罪」にまで対象を広げ、強盗、放火、強制性交なども「原則逆送」となる。

日弁連（荒中会長）は八月七日の会長声明で、「原則逆送の範囲を、犯情の幅が極めて広い事件類型にまで拡大することは、家庭裁判所において諸事情を考慮した上で対象者の立ち直りに向けた処分をきめ細かく行うという現行少年法の趣旨を没却し、その機能を大きく後退させるもので、到底許容できない」と強く批判した。

「たたき台」のもう一つの柱が、「実名報道解禁」。少年法六一条は、二〇歳未満の時に起こした犯罪について、氏名や住所、年齢、職業、顔写真など本人が推知される報道（実名報道）を禁止している。「たたき台」はこれを改め、一八・一九歳については、起訴（公判請求）された段階で実名報道を解禁する方針を提示した。

成人の場合でも、新聞・テレビなどに実名（犯人視）報道されると、本人ばかりか家族もバッシングの対象となり、社会復帰の重大な妨げとなる。また、容疑が無実であっても、いったん報道されると犯人視世論が定着し、冤罪を晴らす闘いの大きな壁になる。これは、あまたの冤罪事件で冤罪被害者たちが体験してきたことだ。

ただ、二〇歳以下の少年については、少年法六一条が盾となって（一部週刊誌を除き）実名報道による人権侵害を防いできた。その盾を取り払い、「一八・一九歳の少年も起訴されれば実名報道で社会のさらし者にしてもよい」というのが「たたき台」の考え方だ。

八月七日の新聞報道で実名報道解禁案を知った時、以下のような場面が頭に浮かんだ。某検察の取調室。家裁から逆送され、容疑を否認する一八歳少年に検察官が語りかける。

〈いつまでも否認していると、検察官としては起訴するしかなくなるよ。そうなったら、テレビや新聞、ネットはキミの名前も顔写真も全部出す。そんなことになってもいいのかい？　罪を認め、反省していることがわかったら、キミを起訴しないですますこともできる。そうなれば、名前や写真がネットにさらされることもなくなる。さあ、どうする？〉

そうして虚偽自白させた後は、「起訴しない」約束などホゴにする。悪夢の未来図だが、同じような場面は実際、痴漢冤罪事件などでたびたび繰り返されてきた。実名報道による脅しは、警察・検察が冤罪被害者に虚偽自白をさせるための常套手段に使われている。

「たたき台」はこれを、一八・一九歳の少年事件にも拡大しようというのだ。

本来、起訴の段階では、被疑者は無罪を推定されている。にもかかわらず、日本では起訴されると、裁判も判決も待たずに犯人扱いされて実名も顔写真も報道され、さらし者にされる。こんなメディアによる集団リンチ（＝私的制裁）が少年にも拡大される。

《少年法六一条は、未成熟な少年を保護し、その将来の更生を可能にするためのものであるから、新聞は少年たちの〝親〟の立場に立って、法の精神を実せんすべきである。罰則がつけられていないのは、新聞の自主的規制に待とうという趣旨によるものなので、新聞は一層社会的責任を痛感しなければならない。すなわち。二〇歳未満の非行少年の氏名、写真などは、紙面に掲載すべきではない》

これは、ほかならぬ日本新聞協会の「少年法第六一条の扱いの方針」（一九五八年決定）だ。当時に比べ、ネットの影響が格段に大きくなった現代、新聞・テレビなどの実名報道は直ちにネットに拡散され、社会復帰を著しく困難にさせる。もし、それが冤罪・誤報であっても訂正は不可能に近く、実名報道された少年の被害は取り返しがつかなくなる。

《18・19歳少年法厳罰化へ／刑事裁判の対象拡大／法制審要綱原案／起訴後実名報道可に》（『朝日新聞』一面）、《少年法18、19歳厳罰化／要綱案／起訴後の実名報道解禁》（『読売新聞』社会面）――各紙は八月七日、この「たたき台」を大きく報じた。

しかし、「実名報道」の主体となる報道機関として、それをどう受け止め、どのように対応しようとしているのかについては、各紙とも何も触れていない。

法制審は、九月にもこの「たたき台」を正式決定し、法務省は来年の通常国会に「改正」案を提出する意向、という。もしこの法「改正」が通れば、メディアは検察の言いなりになって少年を実名報道するのか。それとも、新聞協会の「方針」を守り、少年法の精神を実践するのか。報道機関としての自主的判断と社会的責任が問われている。

注―二〇二一年五月二一日少年法等の一部を改正する法律が成立し、二〇二二年四月一日に施行。一八歳以上の少年を「特定少年」とし、原則逆送対象事件が拡大、実名報道解禁となった。

菅〈臭いものにフタ〉政権誕生を助けたメディア
――放棄された「アベ政治の七年八か月」の検証報道（九月一七日）

戦後最悪・最長の七年八か月続いた安倍晋三政権に代わって九月一六日、菅義偉・新内閣が発足した。菅氏は自民党総裁選で「安倍路線の継承」をアピール、石破茂氏、岸田文雄氏を大差で破り、圧倒的多数の支持で新総裁に就任した。

だが、「安倍路線の継承」の実態は、「モリ」「カケ」「桜」をはじめとした政権私物化の疑惑追及を封じ込め、「安倍疑惑＝臭いもの」にフタをすることだった。それを追及すべきマスメディアは次期総裁レースの中継にうつつをぬかし、何よりも求められていた「アベ政治」七年八か月の検証をほとんど放棄、菅「臭いものにフタ」政権誕生をアシストした。

《検証　自民総裁選／「石破阻止」安倍首相動く／「後継は菅氏」麻生・二階氏乗る》――「安倍路線の継承」が何より「疑惑追及封じ」であったことを物語る記事が、菅政権誕生当日の九月一六日、自民党の広報紙化して久しい『読売新聞』三面に掲載された。

記事は、《安倍首相が菅官房長官を事実上、後継指名し、圧勝へと導いた》とし、安倍首相が八月二八日

臨時国会開会日行動で声を上げる市民。（写真提供：松原明）

の辞任表明前に菅氏の出馬を確認、安堵したとして、こう書いている。

《首相が総裁選で最も警戒していたのは石破氏に支持が集まることだった。石破氏は森友・加計問題の再調査や、沖縄県の米軍普天間飛行場の名護市辺野古への移設について再検討を行なうことを主張するなど、「安倍路線」の転換を訴えていただめだ》

要するに、森友、加計、桜の会など疑惑のもみ消しに奔走した腹心の菅官房長官を「後継」に据え、疑惑の再調査を封じること、それが安倍氏の至上命題だった。それを森友文書改竄で手を貸した麻生太郎財務相と二階俊博幹事長の大ボス二人が支持した。

翌二九日、菅氏は二階幹事長らと会談、幹事長はその場で菅支援を表明し、各派閥は「菅支持」へ雪崩を打った。菅氏が正式に出馬を表明したのは九月二日夕。その時点で石破派、岸田派以外の五派閥が

「菅支持」で結束し、総裁選は事実上終わっていた。

菅氏は出馬表明の記者会見で、安倍政権が覆い隠そうとしてきた「臭いもの」に改めて「フタ」をする方針を表明した。記者から森友・加計問題について質問されると、森友問題については「財務省関係の処分が行われ、検察も捜査を行い、すでに結論が出ている」と述べ、加計問題についても「法令にのっとり、オープンなプロセスで検討が進められてきた」と強弁、いずれも「再調査する考えはない」と明言した。

メディアは菅氏のこうした対応をどう報道したか。九月三日付各紙は一面トップで、《菅氏、安倍路線を「継承」／総裁選立候補へ会見》(『朝日新聞』)、《菅氏、安倍路線を「継承」／自民総裁選　出馬正式表明》(『読売』)などと報じた。だが、「継承」の中身が森友・加計問題などの疑惑隠しであることは、ほとんど問題にしなかった。

八月二八日の辞任表明会見で安倍首相は「在任中に残したレガシー(遺産)」を問われ、「国民の皆さん、歴史が判断していくのかと思う」と白々しく答えた。安倍退陣後、メディアに求められていたのは、「アベ政治の七年八か月」を徹底検証することだった。

アベノミクスの「異次元金融緩和」は株価上昇と大企業の業績回復をもたらしたが、利益は企業の内部留保に回され、労働者の賃金は上がらなかった。それどころか二度の消費税増税によって中小零細企業は経営を圧迫され、労働者の実質賃金は大幅に低下、非正規雇用の割合は四割近くにも増え、貧富の格差が著しく拡大した。

「外交の安倍」を売り込み、「外遊」に励んだが、仲良くしてくれたのはトランプ米大統領だけで、実はほとんど相手にされなかった。最も重要な日中・日韓関係は悪化の一途をたどり、北方領土問題をめぐる日露交渉や日朝国交回復・拉致問題はまったく手つかず。結局、トランプの言いなりに米国製兵器を爆買いした「負の遺産」だけが残った。

国内政治では、「任期中の憲法改正」を掲げ、野党・市民の反対を数の力で押し切る「アベ一強」の強権政治が常態化した。二〇一三年一二月・特定秘密保護法制定、一四年七月・憲法解釈変更で集団的自衛権の行使容認を閣議決定し、一五年九月・安全保障関連法成立、一七年六月・「共謀罪」法成立……。一七年七月の都議選ではアベ政治に抗議する市民に「こんな人たちに負けるわけにはいかない」と敵意をあらわにした。

二〇一三年のIOC東京五輪招致演説では、フクシマの原発事故汚染水を「アンダーコントロール」と強弁したが、コントロールされたのはメディアだけ。沖縄・辺野古基地問題では軟弱地盤が発覚し、当初計画に比べて工期で二倍、費用は三倍に跳ね上がるとわかっても、工事中止を求めるオキナワの声を無視して埋め立てを強行している。

それらの過程で、「モリ」「カケ」「桜」をはじめとした政権私物化が横行していた。その疑惑もみ消しに動員された高級官僚の間に「忖度」がはびこり、ついには財務省幹部が命じた公文書改竄によって、痛ましい犠牲者を生み出してしまった。

そうして、新型コロナ対策のドタバタだ。当初は五輪優先の楽観論から検査・医療体制の整備が後手に回って感染拡大。その後は唐突な全国一斉休校やアベノマスク配布、強権的な緊急事態宣言などちぐはぐな対応に終始した。「自粛」を強いられた市民の補償は後回しにされ、「非正規」や女性、外国人労働者を中心に多くの「コロナ失業者」が作られた。

もしメディアがこうした「負の遺産」をきちんと検証しようとすれば、膨大なスペース・時間を要したはずだ。新聞はそれなりにアベ政治検証の緊急連載を行なった。《考　最長政権》（『朝日』）、《総括　安倍政権》（『読売』）、《「最長」のおわり》（『毎日新聞』）、《一強の果てに　安倍政権の七年八か月》（『東京新聞』）。中でも『東京』の連載は、日頃の同紙の報道姿勢を反映し、批判的視点に立った鋭い検証記事だったと思う。

だが、こうした検証報道は長くは続かず、疑惑追及も尻切れトンボに終わった。報道の中心は、総裁選をめぐる自民党内の駆け引きなど、政治部主導の「政局報道」に置かれた。とりわけ世論への影響力の大きいテレビは、朝・昼・午後のワイドショーから夕方・夜のニュース番組に至るまで、「アベ政治の検証」と言えるような報道はほとんど行わなかった。それは、アベ政治の「臭いものにフタ」を使命とする菅氏に有利に働いた。

その「成果」が、『東京』九月一〇日付二面《次期首相に菅氏50％》の記事だ。共同通信が八・九日に行った世論調査の結果、「次期首相にふさわしい」人として、菅氏が五〇％、石破氏が三〇％、岸田氏が八％となった。前回、八月二九・三〇日に実施された同じ調査では、石破氏が三四％、菅氏が一四％、河野太郎氏が一三％だった（八月三一日付）。

わずか一〇日余りの間に、自民党総裁選をめぐる「世論」は信じ難い大逆転を起こした。それをもたらしたのがメディア、とりわけテレビの「大勢翼賛」報道だった。

九月一六日に発足した菅・新内閣は、二〇人の閣僚中、麻生副総理をはじめ再任が八人に横滑りが三人、党三役も二階幹事長の留任など、安倍内閣の改造人事かと思わせられる顔ぶれ。事実上の「第三次（大惨事？）安倍政権」と言うべきものになった。

メディアが「秋田の農家の出で、地方を大事にする人」「世襲議員が多い中、数少ない叩き上げの苦労人」「笑顔の優しい令和おじさん」などと持ち上げる菅首相だが、その素顔は「傲慢に反対意見を切り捨てる独裁者、弱者に冷酷な新自由主義者」だ。

総裁選出馬の記者会見で、菅氏は「国の基本は自助・共助・公助だ。まず自分でやってみて、地域や自治体が助け合う。そのうえで政府が責任を持って対応する」と述べ、首相就任会見でも「自助・共助・公助」を「目指す社会像」として強調した。

コロナ不況で収入を失った人や職を奪われた人たちが生活保護を求めて役所に足を運んでも、「まず自分で何とかしろ」とばかり冷たく突き放され、人間としての尊厳を傷つけられる（九月一六日放送「レイバーネットTV」特集）。それが日本社会の現実であり、しかも新しい首相の考える「国の基本」「目指す社会像」なのだ。

税金で運営される政治・行政の基本は「公助」だ。足りない分を地域で「共助」し、それらの助けを得ながら、弱い立場に置かれた人が「自助」できるようになっていく。そういう温かい社会を否定し、自己責任で切り捨てる冷酷な新自由主義者が、新しい首相だ。

もう一つ、菅氏の独裁的性格を物語るのが、官邸記者会見で常用した言葉だ。記者の質問を、「ご指摘には当たらない。ハイ次」「まったく問題ない。ハイ次」と問答無用で切り捨てていく。質問で指摘されたことについて、なぜ「指摘に当たらない」のか、「問題がない」のか、その理由を何も示さず、説明を一切省いて答弁したことにしてしまう。恐るべき傲慢さであり、異論・反論を許さない独裁者の振る舞いである。

ところが、それにスクラムを組んで抗議・対抗すべき内閣記者会の常連メンバーは、菅氏の対応を容認し、逆に『東京』の望月衣塑子記者のような粘り強く質問を重ねる記者を「異分子」扱いして、守ってこなかった。それが記者クラブの情けない現実だ。

九月一三日付『東京』の「本音のコラム」に、「日本国民は蒙昧の民か」と題した前川喜平氏のコラムが掲載された。安倍首相の辞任表明前の八月二二・二三日に共同通信が行った世論調査で三六％まで落ちていた内閣支持率が、辞任表明直後の二九・三〇日の調査で五六％に跳ね上がった。前川氏は《一週間や十日でここまで極端に意見を変える国民が民主国家の主権者たり得るだろうか》と疑問を投げかけ、魯迅の『阿

Q正伝』に登場する無知蒙昧の民阿Qに成り下がったのではないかと嘆いた。そのうえで前川氏は、「賢い国民が育つために決定的な役割を果たすのはメディアと教育だ」と指摘した。

その通りだと思う。アベ政治の検証をきちんと行わず、菅〈臭いものにフタ〉政権をやすやすと誕生させた大きな責任がメディアにはある。

コロナ禍の同調圧力と対峙する舞台表現の試み

――「憲法寄席」二〇二〇秋席公演（一二月三日）

「欲しがりません、勝つまでは」――コロナ禍騒動に便乗し、権力の思うままに市民生活を統制できる国家を作ろうとする〈同調圧力〉が強まっている。それを象徴するのが、〈自粛要請〉なる奇妙な言葉だ。自粛は要請されてするものではない。実態は、人々の不安につけ込んだ〈強要〉なのに、いつのまにか人々の心を呪縛し、支配していく。

そんな同調圧力に抗し、強要の実態を暴露して、権力を笑い飛ばそうという舞台表現の試み――「憲法寄席」二〇二〇秋席公演が一一月二八・二九日の二日間、東京・文京区の本郷文化フォーラム（ＨＯＷＳ）で開催された。題して「カバレット　コロナ禍騒動その壱」。

時局風刺のギター弾き語りや替え歌演奏、紙芝居、そして書き下ろしによる朗読劇。客席を制限し、厳重な感染対策を施した会場で、観客はフェイス・シールド越しに陰湿な同調圧力を解き放つ痛快な笑いを共有した。

創作集団「憲法寄席」は二〇〇七年五月の「国民投票法」＝壊憲手続法強行採決に反対し、演劇、音楽、文学、寄席など様々な分野で労働者を核とした文化創造に関わってきた人たちが「風刺と笑いを孕んだ文化」

（カバレット）の創造を目指して結成した。

以来一三年余、年一～二回、憲法や安保法制、秘密保護法、日の丸・君が代などをテーマとした朗読劇やブレヒト劇をイメージした創作舞台、コント、講談、替え歌などを中心とした公演活動を続けてきた。二〇一八年一月からは、HOWSで毎月一～二回、「憲法寄席ミニライブ」も開き、若い表現者も次々と加わって多彩な舞台を作り出している。

今年も一一月に「小熊秀雄没八〇年の集い&長長忌」を開く予定だった。ところが、春以来、コロナ感染防止を理由に公共施設での上演はもちろん、多人数が参加する稽古場も確保できなくなり、「長長忌」は中止を余儀なくされた。

では、このまま黙ってコロナ禍の嵐が通り過ぎるのを待つのか。「憲法寄席」企画・制作の高橋省二さんは、「こうした時期にこそ、ブレヒトに学んで〈コロナ禍での日本の恐怖と貧困〉を風刺と笑いで暴くことが大事ではないか」と仲間に呼びかけ、規模を大幅に縮小して、「カバレット　コロナ禍騒動 その壱」の開催にこぎつけた。

ステージは二八日夜、二九日午前、二九日午後の計三回。客席は予約制の二〇人に絞り、オンライン配信で上演された（ツイキャス生中継「なにぬねノンちゃんねる」、Youtubeで後日配信の予定）。

ステージは、第一部が「時局風刺ソング」「ブレヒトソング」「昔今物語　コロナのにおい」、第二部が朗読劇「Fact?――非日常的なる日常におけるネコ騒動」。

「憲法寄席」2020秋席公演

カバレット

コロナ禍騒動 その壱

今年は、誰もがコロナ禍に翻弄され、苦難を強いられた１年でした。と同時に、多額な金を使いながら使い物にならないアベノマスクに象徴されるように、この国の為政者はいかに人命を軽視し庶民の生活の実態を理解していないかが白日の下に晒された年でもありました。新たな政権は、学術会議任命拒否問題に見られるように政府の方針に異論を唱える者は選別・排除するなど、民主主義の根幹を揺るがす強権姿勢を剝き出しにしています。さらにはコロナ禍で苦しむ庶民を前に、「公助」の前に「自助」、「共助」の精神こそが大切と説教し、金のあるものは今のうちに旅に出かけようと「ＧｏＴｏキャンペーン」を呼びかけるなど、目先の景気浮揚策でもって庶民の目を誤魔化そうとしています。この春以来「憲法寄席」も公共施設では、声を上げての演劇や歌の稽古が出来なくなり、１１月末予定の「小熊秀雄没８０年＆長長忌」も中止せざるをえませんでした。

今回の公演は、客席は少人数（**２０名　要予約**）にしぼり、オンライン配信（①「ツイキャス生中継「なにぬねノンちゃんねる」 https://twitcasting.tv/jg1evh ②「Youtube（後日配信）」 youtube.com/c/なにぬねノンちゃんねる/videos）を兼ねた公演になります。

第１部

「時局風刺ソング」

Ｃantus（歌:大塚友、ピアノ:美原蒼 28日①のみ）／ジョニーH

「ブレヒトソング」

歌：村上理恵子、ピアノ：平野義子（29日②③のみ）

昔今物語「コロナの匂い」

山岡明雄

第２部

朗読劇

「Fact?―― 非日常的なる日常における ネコ騒動――」

作・演出＝杉浦久幸

出演＝門岡瞳、菅原司、田中あゆみ、中路美也子

11/28（土） ステージ①（開場18時） 開演 18時30分～

11/29（日） ステージ②（開場10時30分） 開演 11時00分～

ステージ③（開場15時） 開演 15時30分～

申し込み先　FAX＝03(3909)4123

orimaru-takahashi2019@jcom.zaq.ne.jp

★上記①、②、③のいずれかを明記し、連絡先（電話、メールアドレス）を記して事前予約を。

支援賛同金＝１口１０００円

会　場＝本郷文化フォーラム（地下鉄丸の内線・大江戸線「本郷三丁目」徒歩5分）

問合せ先＝☎090(4385)7973（高橋）

舞台は「コロナ禍川柳選」の映像で開幕、レイバーネット川柳から選ばれた秀作一三句が次々スクリーンに浮かび上がった。「マスクさせ日本列島口封じ」(笑い茸)、「民主主義あっと言う間に隔離され」(一志)、「コロナ禍は弱者に重くのしかかり」(奥徒)、「叩き上げ仮面剝がれて夜叉の面」(八金)、「この事態コロナの乱よなぜ起きぬ」(乱鬼龍)……。

第一部では、レイバーネットTVでおなじみジョニーHさんの時局風刺ソングがあいかわらず絶好調で、替え歌の新作を披露。なかでも秀逸だったのが、小池百合子都知事をパロディにした「七つの子」だ。本来取り組むべきPCR検査・医療体制の整備はそっちのけ。部下に作らせたボードのフレーズをテレビカメラに向かって得意げに説明し、都民に説教するのが仕事だと勘違いしている小池知事の「五つの小」を徹底的に笑いのめした。

山岡明雄さんの「昔今物語　コロナのにおい」は、コロナ禍で広がる「自粛警察」「マスク警察」に走る人々の心性を紙芝居で考える試み。営業自粛に応じない飲食店やマスクをしない人を非難・攻撃するような「私的取締り」は、実は今に始まったことではない。

二〇一一年東日本大震災の福島原発事故後に広がった原発事故避難者に対する差別・排除・攻撃、一九九五年の地下鉄サリン事件後、子どもまで対象にしたオウム真理教信者に対する地域社会の徹底排除、そして一九二三年、関東大震災の混乱の中で「朝鮮人が暴動を起こす」とのデマを信じた自警団が起こした朝鮮人大虐殺。山岡さんは、それらに共通する「得体の知れない存在」に対する〈恐怖〉と、それを攻撃・

排除する行動を〈正義〉と思い込む心性に、「コロナのにおい」の目に見えない怖さを嗅ぎ取った。

第二部の朗読劇「Ｆａｃｔ？」は、劇作家・杉浦久幸さん作・演出の書き下ろし作品。

ある日、締切に追われる童話作家・東雲ありすのもとに「猫の第六事務所のかま猫」を名乗る人物から電話がかかってくる。かま猫は「まもなく戦争が始まります。迎えの者が伺いますので、それまで絶対に外に出ないでください」と告げる。半信半疑のありすに、かま猫は「指示を守らなければ、あなたを非国民として断罪しなければなりません。今は戦時下なのです。不要不急の外出は敵対行動と見なされます」と脅す。

編集者や友人からとりあわないようにアドバイスされ、最初はいたずらだと思っていたありすだが、繰り返しかかる電話でしだいに暗示にかかる。やがて外出できなくなり、テレビやネットの情報も信じられなくなる。相手の顔が見えない情報のいったい何が「ファクト」なのか。彼女はドアを開けて、「自分の目で確かめなくちゃ」と思うのだが……。

門岡瞳さん演じるありすをはじめ出演者四人が醸し出す世界は、副題の通り「非日常的なる日常」だ。だが、たとえば自分に不都合な真実をすべて「フェイク」と言い張るアメリカのトランプ大統領、それを信じ続けるトランプ支持者を思い浮かべると、「非日常的なる日常」は容易に「日常的なる非日常」に反転する。この日本でも、ウソにまみれた安倍晋三政権や菅義偉政権への高支持率の異常さはトランプ以上だ。

コロナ禍の下で日常生活にさまざまな制約を課され、「非日常」が日常化した社会で、私たちは何をファクトとし、何をフェイクと判断するのか。かつて、メディアが「大本営発表」を垂れ流し、人々がそれを信じ続けた苦い経験のあるこの国で、もう一度「自分の目で確かめる」ことの大切さを思う。

ドイツのメルケル首相はコロナ禍対策として五月、「連邦政府は芸術支援を優先順位リストの一番上に置いている」として、中止になったイベントの補填をはじめ、文化芸術活動に取り組むアーティストに対するさまざまな支援を約束し、実行した。

日本では、行政機関がアーティストの支援どころか、音楽、演劇などの舞台、ライブを「クラスター発生源」として目の敵にし、「自粛警察」を煽った。憲法寄席の試みは、そんな日本社会の同調圧力に対する、笑いを武器とした痛烈な反撃だった。

2021

冤罪に加担したメディアの責任も問い直したい

――「袴田事件」再審、高裁に審理差し戻し（一月一一日）

新型コロナの感染爆発、緊急事態・再宣言と気の重い年末年始、うれしい報せが一二月二三日に飛び込んできた。袴田事件再審の高裁決定取り消しだ。一九六六年に静岡県清水市（現・静岡市清水区）の一家四人殺害事件で死刑が確定した袴田巖さん（八四歳）が再審を求める袴田事件。その第二次再審請求審で、最高裁第三小法廷（林道晴裁判長）は再審開始を認めなかった東京高裁決定を取り消し、審理を高裁に差し戻す決定（一二月二二日付）を出した。事件発生から半世紀を超え、死刑確定から四〇年、「これ以上、拘置を続けるのは耐え難いほど正義に反する」と述べた静岡地裁の再審開始決定（二〇一四年三月）からも六年九か月、東京高裁は審理を引き延ばすことなく、一日も早く再審開始を決断すべきだ。

《袴田さん再審開始へ光／喜ぶ姉「何よりうれしい」》――二四日付『朝日新聞』社会面トップの見出しだ。紙面の中央に「記者会見で笑顔を見せる袴田秀子さん」の写真が大きく掲載され、「年なんて全然気にしていない。（来年）わたしは88歳、巖は85歳ですか。確かに高齢者ですが、がんばって参ります」と秀子さん。弟の無実を信じ、その冤罪を晴らす闘いに人生を捧げて半世紀余、まさに「不屈の高齢者」のまぶしい笑顔

袴田巖さん（YouTubeより）。

だ。

事件は一九六六年六月三〇日未明に発生、みそ会社専務宅が全焼し、一家四人の他殺体が見つかった。静岡県警は八月、住み込み従業員の元プロボクサー袴田巖さんを逮捕。袴田さんは連日十数時間に及ぶ苛酷な取調べで「犯行を自白」させられた。公判では無実を主張したが、静岡地裁は六八年に死刑判決を言い渡し、八〇年に最高裁で死刑が確定した。

袴田さんは八一年に第一次再審請求を申し立てたが、九四年に静岡地裁が請求棄却、二〇〇八年三月に最高裁が弁護側の特別抗告を棄却した。翌四月、直ちに第二次再審請求を申し立て、一四年三月に静岡地裁がようやく再審開始を決定。袴田さんは四八年ぶりに釈放され、「死刑の恐怖」から解放された。しかし、検察が決定に即時抗告したため再審は開始されなかった。東京高裁は即時抗告審に四年もかけた末に一八年六月、再審開始決定を取り消し、弁護側が特別抗告して最高裁で審理が続いていた。

この第二次再審請求審の争点は、事件の一年二か月後、みそ会社のタンクから見つかったとされる「五点の衣類」の血痕。検察は「五点の衣類」を袴田さんの「犯行時の着衣」と主張してきたが、静岡地裁は衣類に付着した血痕のＤＮＡ型鑑定の結果から、「血痕は袴田さんや被害者のものではない可能性がある」として一四年、再審開始を決定した。

ところが東京高裁は、このＤＮＡ型鑑定を「確立した手法と言えず、信用性は乏しい」と否定し、地裁決定を取り消した。

今回の最高裁決定も、ＤＮＡ型鑑定の証拠価値を否定した。しかし、最高裁は問題の衣類がみそに一年以上も漬かっていたとされながら血痕に赤みがあったこと、弁護団の実験では、みそ漬けにすると血痕は約一か月後に黒褐色になり、赤みが消えたこと（メイラード反応の影響）に注目、「高裁決定は血痕の変色に関する専門的知見について、審理が尽くされていない」として、審理を高裁に差し戻した。

この決定で注目すべきは、裁判官五人が全員一致で高裁決定の取り消しに賛成し、しかもそのうちの二人が「検察の即時抗告を棄却して直ちに再審開始すべきだ」として、審理の差し戻しには反対、「直ちに再審開始をすべき」との意見を述べたことだ。

「確定判決は衣類が一年以上タンクに漬けられたことが前提になっており、実験の報告書は確定判決に合理的な疑いを生じさせる新証拠と考えられる。メイラード反応の審理のためだけに差し戻す多数意見には反対せざるを得ない」（林景一、宇賀克也裁判官）

再審に関する最高裁決定で、反対意見がついたのは極めて異例だ。袴田さんが今年三月で八五歳を迎えることを思うと、これ以上審理を引き延ばすことは許されない、との思いも伝わってくる。東京高裁は、直ちに審理を始め、再審開始決定を確定させるべきだ。

それ以上に、もっと早く再審を開始する方法がある。検察が地裁決定に対する即時抗告を取り下げることだ。そうすれば、再審開始決定は直ちに確定する。最高裁決定、とりわけ二人の裁判官の「即時再審開始」意見を踏まえれば、それが本来「公益の代表者」である検察当局の取るべき、まっとうな対応ではないか。

にもかかわらず、最高検は最高裁決定について「主張が認められず誠に遺憾」との刑事部長コメントを発表した。安倍晋三・前首相のさまざまな疑惑（モリ・カケ・サクラ）には平気でふたをする一方、警察・検察が延々と繰り返してきた冤罪＝権力犯罪にはシラを切り続ける。この国の検察には、「正義」どころか「公益」の概念すら存在しない。

無罪心証で死刑判決を書いた熊本典道さんの無念

もし二〇一四年の地裁決定で再審が始まり、再審無罪が出ていたら、どれほど喜んだだろうか、と思う人がいる。袴田事件の裁判で一九六八年、一審・静岡地裁の裁判官として意に反する死刑判決を書いた熊本典道さんだ。それがきっかけで裁判官を辞めた熊本さんは約四〇年後の二〇〇七年、「無罪心証で書いた死刑判決」について告白し、袴田さんに謝罪した。

一日も早い再審開始を待ち望んでいた熊本さんだが、今回の最高裁決定が出る約六週間前（一一月一一日）、福岡市内の病院で亡くなられた。八三歳だった。

熊本さんは〇七年一月、袴田さんの支援団体宛てに「無罪判決を起案したが、他の二人の裁判官の反対で死刑判決を書かざるを得なかった」旨の手紙を書き、袴田さんを支援する集会などで苦しい思いを訴えた。私はそんな集会で熊本さんのお話をうかがった。

熊本さんは事件発生から五か月後の一九六六年一一月、静岡地裁に赴任し、一二月の第二回公判から事件を担当した。供述調書などの記録を読むと、袴田さんの取調べは一日平均一二時間、長い日は一六時間にも及んでおり、まず自白の任意性に疑問を持ったそうだ。そうして証拠を分析すればするほど、検察側の主張について疑問が増えて行ったという。
①小さなクリ小刀一本で四人を殺害できるか、②逃走経路とされた裏木戸は留め金がかかっていた、③盗んだとされる金額より現場に残った金額の方が多く、犯行動機があいまい、④犯行着衣が「パジャマ」から一年後、「五点の衣類」に変更されたのも不自然……。
判決文の起案を担当した熊本さんは無罪判決を書いた。だが、裁判長ら他の二人は有罪を主張した。「合議」の結果、二対一の多数決で有罪。熊本さんは無罪の判決文を捨て、有罪、しかも死刑判決に書き直すことを余儀なくされた。

それでも熊本さんは出来得る限りの抵抗を試みた。袴田さんの四五通の供述調書は一通を除き、証拠採用しなかった。そのうえで、「捜査官は被告人から自白を得ようと、極めて長時間にわたり被告人を取調べ、自白の獲得に汲々として、物的証拠に関する捜査を怠った」「このような捜査は、真実の発見はむろん、適正手続きの保障の見地からも厳しく批判されるべき」と判決文に「付言」した。高裁の裁判官が一審判決の矛盾に気づき、判決を見直してほしい、との思いからだったという。

「無罪心証の死刑判決」(一九六九年九月)から半年後、熊本さんは裁判官を辞し、弁護士になった。だが、高裁、最高裁に託した熊本さんの思いは届かなかった。上級審の裁判官たちは熊本さんが「付言」に託した思いに気づくことはなく、死刑判決は覆らなかった。

やがて熊本さんは自責の念から自暴自棄となった。酒浸りの生活で家族も離散、弁護士活動もままならなくなり、遂には自殺を考えるほど追いつめられていった……。

〇七年、元担当裁判官として再審を求めた「熊本告白」は大きな反響を呼んだ。熊本さんの話で、特に私が心を動かされたのが、袴田事件におけるメディアの役割だ。熊本さんは、他の二人の裁判官が有罪心証を変えようとしなかった原因の一つとして「マスコミの犯人視報道の影響」を挙げた。その話を聞いた後、私は袴田事件支援者の協力を得て、当時の新聞報道(全国紙三紙の静岡県版と静岡新聞)を詳細にチェックした。

事件発生から数日の間、各紙の報道は「複数犯・外部犯行・怨恨説」だった。例えば、一人で小刀だけで短時間に四人を制圧し、殺害できるのか、との疑問。裏木戸には留め金がかかっている一方、玄関のガラス戸は開いていたこと。遺体は最大一五カ所も刺されるなどの惨殺。その一方、現金、宝石などは手つかずのままだったこと——。

それが、袴田さんの事情聴取と家宅捜索が行われた七月四日以降、「単独犯・内部犯行・物盗り説」に一変する。警察が袴田さんの部屋から小さな血痕らしきもののついたパジャマを押収すると、四日付『毎日新聞』夕刊は、《従業員H浮かぶ／血染めのシャツを発見》という記事を掲載、「右手に切り傷」「アリバイなし」「金に困っていた元プロボクサー」などと報道した。以後、各紙が袴田さんを標的にした犯人視報道合戦に転じた。

八月一八日の逮捕後は、袴田さんを犯人と決めつけた報道が繰り広げられた。『毎日』は、《袴田を連行、本格取り調べ／不敵な薄笑い》《ジキルとハイドの袴田》《袴田ついに自供／ねばりの捜査／69日ぶり解決》などと連日、犯人断定報道を展開し、各紙が追随した。

読者はこうした報道を何日もシャワーのように浴びた。静岡地裁の裁判官たちも例外ではなかっただろう。タテマエは「起訴状一本主義」で裁判開始まで予断を持たないとされているが、実際には裁判官の多くが事件記事をよく読んでいるという。

ただ、熊本さんは例外だった。熊本さんが静岡地裁に赴任したのは、事件発生から約五か月後の六六年一一月。第二回公判から裁判に加わった袴田さんは、犯人視報道に汚染されず、虚心坦懐に調書を読み、証拠を調べて無罪の心証を形成したのだ。

袴田事件は、代用監獄、長期勾留、死刑制度、再審制度など日本の刑事司法が抱える重大な問題の全てを孕んだ事件だが、マスメディアの報道のあり方についても大きな課題を突きつけている。今なお続く犯人視報道、人権侵害報道――この事件で、袴田さんと同じく、人生を大きく狂わされた熊本さんが私たちに遺した大きな宿題だ。

性差別に鈍感、東京五輪への疑問・批判はタブーに

——森発言報道で露呈した大手メディアの男性支配と体制翼賛（三月八日）

東京五輪・パラリンピック大会組織員会の森喜朗会長が女性蔑視発言を行い、国内外から批判を浴びて辞任した「森発言騒動」から約一か月たった。森氏の後任には橋本聖子・五輪担当相、その後任に丸川珠代・自民党参院議員が就任し、森発言騒動は新聞・テレビの報道上、一件落着したかのようだ。しかし、森発言で問われた問題は解決したのか。また、東京五輪開催に問題はないのか。一連の報道を振り返ると、森発言を伝えるメディアの報道も差別に鈍感だったうえ、後任報道でも密室人事に無批判だった。一連の報道は、森氏に代表されるスポーツ界・政界の古い体質とともに、男性支配の政治ムラにどっぷりつかり、五輪開催に疑問を提示できない大手メディアの残念な実態も浮かび上がらせた。

●鈍感で問題意識に欠けた森発言の第一報

「女性がたくさん入っている理事会は時間がかかる」「女性っていうのは競争意識が強い」「女性の数を増やしていく場合は、この発言の時間も、ある程度は規制をしておかないと……」「組織委員会にも女性は七人くらいおられる。みんなわきまえておられて……」

二月三日開かれた日本オリンピック委員会（ＪＯＣ）の臨時評議員会で行なわれた森発言の主な内容だ。ＪＯＣの評議員たちは、こんな差別意識むき出しの女性蔑視発言に抗議もせず、笑いまじりにおとなしく拝聴していたという。

この発言当時、私は肺がん治療のため入院していて報道にリアルタイムで触れることが出来なかった。だが、退院後、発言を報じた各紙紙面をチェックし、「こんな程度の扱いだったの？」と拍子抜けした。二月四日付各紙の報道、見出しは次の通りだった。

『朝日新聞』――第二社会面・横見出し《「女性がたくさんいる会議　時間かかる」／ＪＯＣ会合　森氏「競争意識強くみんな発言」》

『読売新聞』――第三社会面・一段見出し《「女性が多いと理事会に時間」森組織委会長》

『毎日新聞』――社会面・一段見出し《女性多い会議は「時間がかかる」》

『東京新聞』――一面・三段見出し《「女性が入ると時間がかかる」／森氏が蔑視発言／ＪＯＣ理事巡り》、八面・横見出し《五輪理念に逆行／森会長　女性蔑視発言》

『産経新聞』――第二社会面・二段見出し《「女性多いと時間かかる」／森氏、ＪＯＣ会議で発言》

『東京新聞』は一面で大きく取り上げたうえ、見出しで明確に「蔑視発言」と打ち出し、スポーツ面には解説記事も載せて「五輪理念に逆行」と批判した。

しかし、『東京』以外の各紙は扱いが小さく、『読売』『毎日』はベタ記事扱いで記事を見つけるのに苦労したほど。記事の中身も、森発言の差別性に対する指摘、批判的な視点ほとんどなく、ただ「こんな発言がありました」と〝客観報道〟しただけだった。

一方、森発言は海外では大きく取り上げられた。四日付『東京』夕刊《森氏発言　波紋／海外メディア「性差別」》の記事によると、ロイター通信、AFP通信は森発言を「性差別」と断じ、発言中に評議員から笑いがもれたことも紹介、ニューヨークタイムス（電子版）は「元首相の組織委会長、会議に参加する女性の制限を示唆」と報じた。

また、SNSでは森発言直後から女性たちによる抗議活動が始まった。二月一九日付『週刊金曜日』で林香里・東京大学大学院教授は《差別性を認識させたのはSNSの声》として、女性たちの動きを紹介している。それによると、森発言が明るみに出た四日午前、ツイッターでは森発言の「みんなわきまえておられて」に抗議する「＃わきまえない女」がトレンド一位になった。同日夜には森氏の処遇の検討・再発防止などを求めるネット署名サイトが立ち上がり、開始から約一日で八万人を超える署名が集まったという。

女性たちの抗議や海外の報道に比べ、日本の新聞報道が性差別についていかに鈍感だったか。大手メディアの報道姿勢、ニュース価値観の旧態依然ぶりが際立った。

●男性支配メディアの二重基準

その原因は、森氏が君臨してきたスポーツ界・政界にも劣らないメディア業界の男性支配構造にある。森発言騒動さなかの二月九日、新聞労連、民放労連、出版労連、「メディアで働く女性ネットワーク」（WiMN）の四団体が記者会見を開き、メディア業界団体と加盟社に女性役員を増やすよう要請したことを発表した。

それによると、二〇一九年の調査で、新聞労連に労組が加盟する新聞社三八社の女性割合は、従業員で一九・九％、管理職で七・七％、役員は三・一％だった。また、民放労連の二〇一八年度調査では、在京テレビ局六社の女性の割合は、従業員が二四・二％、課長級以上の管理職が一五・一％、番組制作部門のトップはゼロ。さらに、出版労連に労組が加盟する四一社の女性の割合は、従業員が三六・三％、管理職が一五・三％、役員は八・三％だった。

どのメディア企業も女性従業員自体少ないが、管理職や役員となると女性の割合はぐんと低く、メディア業界の男性優位構造がくっきりと浮かび上がった。

もっと驚いたのが、各業界団体の役員に占める女性の数だ。新聞協会は五三人中〇、民間放送連盟も四五人中〇、書籍出版協会では四〇人中一人、雑誌協会も二一人中一人だった。

政府は二〇〇三年に策定した男女共同参画基本計画で、「社会のあらゆる分野において二〇二〇年までに指導的地位女性を三割にする」との目標を掲げていたが、メディア企業とその業界団体では、そんな目標など遠い世界の話だったことが明らかになった。

ネット記事によると、この記者会見には女性記者を中心に多くの報道陣が集まったという。ところが、翌日の新聞を見ると、『朝日』が第二社会面にベタ記事で《メディアも女性役員増を》とごく短く報じただけで、会見内容を詳しく伝える記事は見当たらなかった。

現場の記者が記事を書いても、男性中心のデスクたちがボツにしたのだろうか。遅ればせながら森発言を批判するようになっても、自分たちメディアに関する「不都合な真実」は報道しない。まさに「男性支配メディアの二重基準」というほかない。

その後の会長人事報道も、旧来の政治報道から一歩も抜け出せない無批判なものだった。

二月一一日、森氏が会長辞任を決断し、川淵三郎氏に会長就任を要請すると、テレビのニュース・情報番組は一斉に「川淵氏が後任会長に」と報道。一二日の各紙も《森・五輪組織委会長辞意/川淵氏を後任指名・受諾》（『朝日』一面トップ）など、川淵氏の会長就任がまるで正式な決定であるかのように報じた。女性蔑視発言を批判されて会長を辞任する人が自分で後継者を決める。こんなとんでもない振る舞いは、長年にわたる森氏のボス支配が何も変わっていないことを象徴するものだった。

結局、五輪組織委は二月一八日、後任会長に橋本聖子・五輪担当相を選出し、菅義偉首相はその後任（男女共同参画も担当）に丸川珠代・参院議員を起用した。

橋本氏は森氏を「政治の師」と仰ぎ、就任会見でも「今後もアドバイスをいただかなければいけない局面もある」と述べた。丸川氏は選択的夫婦別姓制度に反対して地方議会に圧力をかける文書に署名し、「男女共同参画」とは正反対の政治家。二人はいずれも「男性支配の政治ムラ」を巧みに泳いできた女性であり、だからこそ、「森氏の後継」に抜擢されたといえる。しかし、そうした問題点は大手メディアではほとんど論じられなかった。

この後任人事決定によって、約二週間に及ぶ森発言騒動・報道は収束に向かい、以後は何ごともなかったかのような五輪報道に戻った。

●東京五輪スポンサーになった大手メディアのタブー

今、コロナ禍と政府の無為無策に多くの人があえぐ日本で、菅政権が何よりも重視し、優先しているのが、昨年から一年延期していた東京五輪の七月開催だ。

共同通信が二月に実施した世論調査では、東京五輪を「中止すべき」が三五・二%、「再延期すべき」が四七・一%で、「開催すべき」は一四・五%にとどまった。

世界中で新型コロナウイルスの感染拡大が続き、日本も首都圏の「緊急事態宣言」が延長されるほど感染が広がっている。そんな中で世界中から選手を集め、五輪を開催するとどうなるのか。大会には一万人以上の医療スタッフが必要とされるが、コロナで逼迫した首都圏の医療機関のどこからそれだけのスタッフを集めようというのか。

すでに、東京五輪はとんでもない「金食い虫」になっている。開催経費は招致当初七〇〇〇億円と宣伝されたが、専門家の試算によると、すでに三兆五〇〇〇億円に達し、その大部分が税金から支出されている。五輪を開催すればさらに莫大なコロナ対策費が必要になる。それでも、スポンサー企業にとって、五輪は巨大な利益が期待できる投資ビジネスなのだ。

コロナ禍で非正規労働者が次々と職を失い、飲食関連を中心に倒産・事業閉鎖が相次いでも、政府も東京都も「自粛」「ステイホーム」を呼びかけるだけ。生命と暮らしの危機に瀕した市民に対しても「まず自助を」と突き放す。

このうえ、まだ金食い五輪に注ぎ込む金があるなら、それをすべてコロナ禍に苦しむ人たちを助けるために使え――それが多くの市民の率直な思いだろう。

ところが、新聞・テレビは、そんな市民の思いなどおかまいなしに、「七月五輪開催」を前提にした「五輪大本営協賛」ともいうべき報道を続けている。その大きな理由は、大手新聞社自身が東京五輪のスポンサーになっているからだ。

『朝日』『読売』『毎日』『日本経済新聞』が「オフィシャルパートナー」、『産経』『北海道新聞』が「オフィシャルサポーター」になり、スポンサーとして出資している。系列のテレビ局の報道も「右に倣え」。五輪が開催されれば巨額の広告収入が見込める。

そうして、大手メディアは五輪招致をめぐるJOC会長の買収疑惑など、さまざまな不正の追及に及び腰になり、いままた五輪開催への疑問・批判をタブーにしているのだ。

報道機関が「当事者・受益者・関係者」になってしまえば、中立・公正の観点に立ったきちんとした報道は望むべくもない。今からでも遅くない。メディアはスポンサーから撤退し、東京五輪中止を求める世論に応える報道機関本来の役割を取り戻してほしい。

ジャーナリズムの衰退を象徴する『朝日新聞』特別報道部の廃止

——調査報道は「文春砲」「赤旗」に任せた？（四月一二日）

『朝日新聞』の特別報道部が今春、三月末で廃止された。『朝日』特報部は二〇一一年三月一一日の東日本大震災で起きた福島第一原発事故をめぐる調査報道でスクープを連発、長期連載記事「プロメテウスの罠」は九冊の単行本にもなった。その特報部でかつてデスクを務めた鮫島浩記者が自身のブログ「SAMEJIMA TIMES」で「特別報道部の終幕」を明らかにし、自身も五月末で退社すると公表した。「文春砲」が毎週のように永田町を震撼させる中、粘り強い調査報道で一時代を築いた『朝日』特報部の廃止は、日本のジャーナリズムの衰退を象徴する残念なニュースだ。

●「脱ポチ宣言」を掲げた初代・特別報道部長

『朝日』特報部が正式に発足したのは二〇一一年一〇月。約一〇人で活動していた「特別報道チーム」（二〇〇六年設置）が「3・11」を機に部に昇格し、部員も約三〇人に拡充された。

その初代部長・依光隆明記者は、元『高知新聞』社会部長。二〇〇一年、同和利権に絡む高知県庁の不正融資を暴く長期連載「黒い陽炎——県闇融資究明の記録」の取材班キャップとして新聞協会賞を受賞するなど、数々の特ダネをものにした名物記者だ。『高知』で社会部長、経済部長などを務めた後、二〇〇八年末に『朝日』に移り、特報チームを率いた。

私は新聞労連JTC（ジャーナリスト・トレーニングセンター）の活動などで何度か依光記者にお会いしている。彼の話で特に興味深かったのが、特報部発足後、部の出入口ドアに「脱ポチ宣言」と書いた紙を貼りつけたエピソードだ。依光記者は『朝日』のメディア研究誌『Journalism』（二〇一二年四月号）で、その経緯を次のように書いていた。

――新聞記者は記者クラブで取材活動をするうち、情報を得るために権力・当局の不祥事より当局の喜びそうな記事を書き、やがて当局の思い通りの記事を書いてしまう。そうして社内ではデスクの気に入られ、出世の道も開かれる。権力を監視する「ウオッチドッグ＝番犬」であるべき記者が、権力の「飼い犬＝ポチ」になってしまう。「脱ポチ宣言」は、「我々は決してそうはならないぞ」という決意を社内に宣明するものだった……。

特報部が最初に手掛けたのが、「プロメティウスの罠」だ。「原子力＝原子の火」をギリシャ神話の「プロメティウスの火」になぞらえ、福島第一原発事故にまつわるさまざまな問題を重層的に取材、それを生身の人間に焦点を当てて描いた。一〇月三日付の連載初日、記事は《「プロメティウスの罠」は、数カ月にわたり連載します》と書いたが、連載は読者の強い共感・支持を獲得、二〇一六年三月まで約四年半に及ぶ異例の超長期連載となった。

特報部の記者たちはこの間、フクシマの現場に通って被災者、原発作業員らに取材を重ね、信頼を得る一方で、首相官邸、東電、原子力安全・保安院の幹部など権力の暗部に食い込み、原発事故をめぐる隠された事実・真実を次々と掘り起こしていった。たとえば、住民の避難にとって不可欠だったSPEEDI（放射能拡散予測システム）の情報が、米軍には伝えられながら、なぜ住民には知らされなかったのか――。

原発事故をめぐる深い闇に光を当てた連載は大きな反響を呼び、二〇一二年度の新聞協会賞を受賞。さらに翌年には、巨額の予算を注ぎ込んだ「除染作業」で手抜き工事が横行し大手ゼネコンや関連企業がピンハネなどで「甘い汁」を吸っていた事実も暴いた。この「手抜き除染」のスクープは二〇一三年度の新聞協会賞を受賞した。

依光記者は当時の特報部について、前記『Journalism』にこう書いている。

《決まった仕事はないし、なにより全員が記者クラブに属していない。一騎当千の個性派が書きたいことを書く。超特ダネを狙う。組織であって組織でないような「一発狙いの飯場」と形容してもいい》

実際、特報部の記者たちは社内だけでなく、他社・他業種からの移籍・転職組を含めて個性的な記者ばかりだったという。鮫島記者は三月一九日付「SAMEJIMA TIMES」（以下、ブログ）で、そんな記者たちの活躍ぶりを詳しく紹介している。

鮫島記者が取材班代表として新聞協会賞を受賞した「手抜き除染」報道で、取材の中心になったのが『北海道新聞』から移った青木美希記者だ。彼女は『道新』では仲間とともに北海道警の裏金作りをスクープし、

レイバーネットTVに出演した青木美希さん（右）。
（写真提供：松原明）

新聞協会賞を受賞した。その後、『道新』上層部が道警に屈服して閑職に回され、『朝日』に移ったが、そこでも特ダネを連発した。『朝日』移籍後の活躍は、二月一七日に放送されたレイバーネットＴＶ特集「フクシマから一〇年――終わらせてはいけない真実」の中で、記者職を外れた現在も含めて語られている。

ブログはその他にも、『週刊文春』出身の松田史朗記者、銀行員から転職した宮崎知己記者、日本テレビから移籍してきた渡辺周記者、『読売新聞』から移った市田隆記者、『下野新聞』から移籍した板橋洋佳記者など、依光記者の言う「一騎当千」の記者たちの活躍ぶりを紹介し、次のように記している（詳細はぜひ彼のブログを読んでほしい）。

《特別報道部はまさに混成部隊であった。（中略）組織の垣根はなく、年功序列もなく、ノルマもなく、ただひたすらに埋もれた事実を掘り起こすことに専念する記者集団であった。さまざまな記者文化が交わり、さまざまな化学反応が起きた。特別報道部がなければ、来る日も来る日も顔を合わせて一緒に同じネタを掘り下げることなどおそらくなかったであろう記者と記者のつながりが、そこからたくさん生まれた》

私はかつて三〇年間、『読売新聞』記者として過ごしたが、こんな熱い記者同士のつながりは、社内ではついぞ体験することなく終わった。うらやましい限りだ。

●特報部の「牙」を抜いた「吉田調書報道」取り消し

『朝日』の看板にもなっていた特報部が、なぜ廃止に至ったのか。その大きな転機となったのが、二〇一四年五月二〇日付一面トップで報じられた《所長命令に違反　原発撤退》の記事（吉田調書報道）を同年九月一一日、木村伊量社長自ら取り消して引責辞任し、関係者の処罰を宣言した不可解な「事件」だ。吉田調書報道は概略次のような内容だった。

――東電福島第一原発所長の吉田昌郎氏（二〇一三年死去）が、政府事故調査・検証委員会の調べに答えた「吉田調書」を朝日新聞は入手した。それによると二〇一一年三月一五日朝、第一原発にいた所員約六五〇人が所長の待機命令に違反し、第二原発に撤退していた。その後、放射線量が急上昇し、事故対応が不十分になった可能性がある。東電は、この命令違反による現場離脱を三年以上伏せてきた……。

この記事が四か月後、社長会見でいきなり「誤りだった」として取り消された。そればかりか、取材にあたった記者やデスク、特報部長、編集局長ら六人が処分された。

当時、デスクとしてこの記事を担当したのが鮫島記者だ。彼は三月三〇日付、三一日付ブログで、吉田調書報道とその取り消しをめぐる経緯、事情を記している。その中で「見出しや記事の表現の一部に配慮に欠けた部分があった」と鮫島記者は書いているが、だとしても、記事は見事なスクープだった、と私は思っている。政府や東電が隠してきた原発事故をめぐる責任者の生々しい証言を報じたのは、調査報道のすばらしい成果だった。

それがなぜ取り消され、記者の処分まで行われたのか。そこには外部からは見えない複雑な社内事情があったようだ（詳細は鮫島記者のブログを参照してほしい）。ただ、私はより大きな要因として、その当時、「慰安婦報道」などをめぐって安倍晋三政権や右派メディアなどが繰り広げた「朝日バッシング」が背景にあったと確信している。当時、『週刊金曜日』に隔週連載していた「人権とメディア」（九月二六日号）で、私はこう論評した。

《「朝日社長謝罪会見」が戦後の「ジャーナリズム史の分水嶺」となることを強く危惧する。それは、今回の『朝日』の対応が事実上、極右政治家と右派メディアによる集中・波状攻撃への屈服であること、その結果、もともと弱かった大手メディアのジャーナリズム精神がさらに衰退し、記者たちの「権力監視報道」への意欲を萎縮させる危険性をはらんでいるからだ。（中略）この「朝日叩き」で記者たちが萎縮し、権力監視

に消極的になれば、「9・11」は日本のメディアが自爆し、雪崩を打って体制翼賛化する〈分水嶺〉となる》

残念ながら、私の危惧は現実になった。鮫島記者のブログはこう書いている。

《そのあとも特別報道部は存続してきたものの、リスクを冒しても「隠された真実」に迫るという看板はすっかり鳴りを潜め、事実上その生命は消えていた》（三月一四日付）

《すべては新聞社が「組織防衛」のため、いや上層部の「自己保身」のため、取材記者を処分して責任を転嫁し、「悪者」扱いしたことの帰結であった。これが調査報道に取り組む新聞記者たちをおおいに縮こまらせ、新聞ジャーナリズム全体を大きく萎縮させた。その後遺症は今もつづいている》（三月三一日付）

優れたスクープ記事を取り消され、処分までされた記者二人はしばらく後に『朝日』を離れた。この処分に絶望した特報部の記者の中から退職者も出た。そしてデスクを務めた鮫島記者もこの春、退社を決意し、ついには「特別報道部」自体も幕を閉じた。

この数年、政権を震え上がらせるような大スクープと言えば、『週刊文春』と日本共産党の機関紙『赤旗』だ。その一方、首相官邸や国会に大量の記者を常駐させ、二四時間体制の取材網を誇る新聞・テレビを中心とした大手メディアは、安倍政権下で強まった権力による情報操作、記者クラブを通じた報道統制にすっかり牙を抜かれたかのようだ。

新聞では『東京新聞』、テレビではTBSの「報道特集」などが辛うじて健闘しているが、他の大手メディアは年々ジャーナリズムとしての機能を低下させている。今春の番組改編で、テレビ朝日の「モーニングショー」からコメンテーターの青木理氏、吉永みち子氏が姿を消し、TBSは朝の情報番組自体をバラエティ番組に変えてしまった。

こんな状況だからこそ、大手メディアで頑張る「志を失わない記者」とともに、「市民メディア」の役割がますます重要になる。鮫島記者のブログやレイバーネット（TV）の存在を、より多くの市民に知ってほしいと思う。

事実を歪曲して情報操作するＮＨＫの「東京五輪翼賛」報道
――元ＮＨＫプロデューサーらが抗議の質問・意見書（五月一二日）

コロナ感染が急拡大し、医療崩壊が進行する中、ＩＯＣや政府が七月開催を強行しようとしている「東京オリンピック・パラリンピック」。その中止を求める市民の声がますます高まる中、オリ・パラ開催の問題点を冷静に報道すべき新聞・テレビなど大手メディアの多くがこの問題をタブー視し、七月開催を自明の前提とする「五輪翼賛」報道を続けている。とりわけひどいのがＮＨＫの報道姿勢。聖火リレーに反対する沿道の市民の音声を消して動画配信するなど、事実までも歪曲して五輪開催に協力する「国策忖度放送」ぶりだ。これについて、元ＮＨＫプロデューサーや研究者、市民団体は五月五日、二〇団体・一四人の連名で、ＮＨＫ（前田晃伸会長）に対し、「東京オリ・パラ開催の機運醸成に肩入れする番組編成・報道を直ちに止める」よう求める質問・意見書を出した。

●「五輪反対」を訴える音声を消して動画配信

《東京五輪　万事休す／中止要望　２日で22万筆／医療従事者　人手不足／「救える命救えぬ」ネットでうねり／ＩＯＣ会長　来日暗雲／宣言延長　進まぬ接種／別変異株　流入の恐れ／「開催国を食い物」米紙

も中止促す》

――五月八日付『東京新聞』「こちら特報部」欄に掲載された見開き記事の見出しだ。記事は、元日弁連会長の宇都宮健児さんが立ち上げたネット上の五輪中止要望の署名が六日に開設してわずか二日間で二二万筆を超えたことや、米ワシントン・ポスト紙がＩＯＣのバッハ会長を「ぼったくり男爵」と痛烈に皮肉ったことなどを詳細に伝えた。

しかし、こうしたメディアとして当然の批判的な報道は、ごく例外的なのが現実。東京五輪の「オフィシャルサポーター」になり、スポンサーとして出資もしている『朝日新聞』『読売新聞』『毎日新聞』『日本経済新聞』や系列のテレビ各局は、五輪が開催されれば巨額の広告収入が見込めるためか、政権への忖度が働くのか、コロナ禍での東京五輪開催への疑問や批判的報道を最小限にとどめ、五輪批判を事実上タブーにしている。

宇都宮健児さんが立ち上げたネット。

そうした中、広告収入は関係がないはずなのに、報道の使命を大きく逸脱した無批判な五輪関連ニュース報道や番組編成を続けているのがＮＨＫだ。毎日の定時ニュースでは、五輪開催に向けたＩＯＣやＪＯＣ、政府、東京都などの動きを批判的視点抜きで報じ、戦時中の「大政翼賛報道」もかくやと思わせる「大本営発表」を繰り返している。

その象徴とも言える出来事が、聖火リレーの動画配信中の「音声中断事件」だ。

安倍晋三・菅義偉政権が掲げた「復興五輪」のシンボルとして三月二五日、福島県で聖火リレーが始まると、NHKはホームページに『東京2020オリンピック』聖火ライブ・ストリーミング」と名付けた特設コーナーを設けた。以来、各地で行われる聖火リレーのコースやランナーを詳細に紹介し、当日のリレーの模様を編集して動画配信している。

その中で四月一日、長野市内で行われた聖火リレー動画の配信中、沿道で「五輪反対」を訴えた市民の声を画面から消去して配信するという音声中断事件が起きた。

「時事ドットコム」(四月一九日)によると、この日七人目の走者が出発して約一分後、配信中の動画から「オリンピック反対」「オリンピックいらないぞ」などの声が聞こえた直後に突然音声が消え、約三〇秒間無音状態が続いたという。

五輪反対の声を上げたのは「オリンピックいらない人たちネットワーク」のメンバーで、約一〇人が沿道で横断幕を掲げ、小型マイクで五輪開催中止を求めるアピールをしていた。メンバーは配信を見た人の指摘で「消音」に気づき、NHKに抗議したと言う。

●世論調査の質問項目を変更し、五輪開催賛成へ誘導質問

こうしたNHKの報道姿勢に対し、「NHKを監視・激励する視聴者コミュニティ」(醍醐聰代表)や全国

各地で活動する「NHKとメディアを考える会」「放送を語る会」など二〇団体と、元NHK記者やプロデューサー、ジャーナリスト、メディア研究者ら一四人が五月五日、連名でNHKに質問・意見書を出した。

意見書によると、NHK「おはよう日本」は四月二三日の放送で、「開催まで、あと三か月となった東京オリンピック。感染拡大が懸念される中、大会に向けた機運醸成の取り組みをどのように進めていくかが課題となっています」と伝えた。これについて意見書は、聖火リレーの動画配信やその音声中断事件を例に挙げ、「NHKの番組編成は、NHKが自ら東京オリ・パラに向けた『機運醸成』のプレイヤーになっている」と指摘した。

そのうえで、「市民・選手の命よりもオリ・パラ開催を優先するJOC、東京都、日本政府、そしてIOCバッハ会長の無責任な言動を自主自律の立場で厳しく質すのがNHKの使命のはずですが、現在のNHKの番組編成・報道姿勢は、こうした使命とは真逆」と厳しく批判した。

そうした五輪開催ありきの報道姿勢を露骨に示したのが、NHKが毎月行っている世論調査の質問の仕方を変更したこと。今年一月までは、「東京五輪・パラは開催すべきか」と質問していたのを、二月以降は「どのような形で開催すべきだと思うか」に変更した。開催の是非を問う質問から、開催を前提にして、そのやり方を問う質問への変更だ。

意見書はこれについて、「開催の是非が国内外で大きな問題になっているさなかにNHKが、開催を前提にして、そのやり方を問う誘導質問形式にしたことは重大」と指摘した。この変更の結果、大括りの集計結果では、開催に否定的な意見が一月の七七%から二月は三八%に激減する一方、「何らかの形で開催すべき」が一六%から五五%に急増した。

まさに、「世論調査」と称して、IOCや政府に都合のいい方向に調査結果を捻じ曲げる「世論操作」だ。意見書は「作為的な質問形式、選択肢の入れ替えによって、開催に向けた民意が広がっているかのような集計結果が誘導されたことは否めません」と批判、「質問形式を二月から変更したのはなぜか」などと質問した。

意見書は最後に「東京オリ・パラ開催の機運醸成に肩入れする番組編成・報道を直ちに止めるよう」求め、「聖火ライブ・ストリーミング」コーナーの停止を要請、「開催を前提にせず、開催の是非も含めた多角的な意見が反映される編集」を申し入れ、世論調査の質問項目に関する質問について五月二〇日までに回答するよう求めた。

●放送法を踏みにじるNHKの五輪翼賛報道

「放送の不偏不党、真実及び自律を保障することによって、放送による表現の自由を確保すること」(放送法一条)

「報道は事実を曲げないですること」(同四条)

今回の音声中断事件は、明らかにこの放送法一条・四条に違反している。

五輪の聖火リレーに反対する市民が「オリンピックいらないぞ」などの声を挙げたことは、コロナ禍での五輪開催について市民が考えるうえで、非常に重要なファクトだ。その音声=事実を、市民の受信料で成り立っている公共放送＝NHKが削除して放送するなど、ナチス・ドイツや戦前の天皇制軍国日本の報道統制につながる暴挙ではないか。

世論調査の質問項目の変更も、いかにも見苦しい。これもまた、五輪に対する「民意」を意図的に捻じ曲げたものであり、「真実及び自律の保障」からほど遠い。

「事実の削除」はほかにもある。「東京新聞TOKYO Web」などによると、聖火リレーではまずコカ・コーラ、トヨタ自動車、日本生命、NTTグループのスポンサー名を大書した大型トラックの改造宣伝車が大音量でDJの声や音楽を流しながら走る。そうして警察車両も含め約三〇台もの車が通り抜けた後、ようやく主役の聖火ランナーがゆっくり姿を現す。「聖火リレー」と言うより、ほとんど五輪スポンサーの宣伝大パレードだ。

ところが、NHKは聖火リレーの模様を連日動画配信しながら、聖火ランナーがニコニこしながら走る様子しか映さず、聖火リレーが事実上スポンサーのための一大宣伝イベントと化している事実を覆い隠している。これも「事実の削除または歪曲」と言うべきであり、放送法の精神に反した報道姿勢だ。

音声中断事件も世論操作もスポンサー宣伝カーの隠蔽も、IOCと菅政権が強行しようとしている東京五輪のイメージを損ねないように、との「忖度」の結果だろう。

NHKは、事実を曲げた放送によって、「放送による表現の自由」を自ら放棄し、受信料を払う市民の「知る権利」を奪っている。

新型コロナの感染大爆発は、「患者見殺し政策」による人災だ

――菅首相らはTBS「報道特集」が伝えた「自宅療養」の現実を直視せよ（八月二五日）

新型コロナの感染大爆発で、一日の感染者数が全国で二万五〇〇〇人を超え、昨年来の死者数は一万五六一五人に達した（八月二一日）。「自宅療養」という名で放置された感染者は全国で九万七〇〇〇人に上り、首都圏四県では七月以降少なくとも一八人が自宅で死亡していたことが明らかになった（二三日付『朝日新聞』）。安倍晋三、菅義偉と続く自公政権が、ＰＣＲ検査体制や病院・スタッフの拡充、臨時医療施設の設置など政府として取るべきコロナ対策を怠り、「ＧｏＴｏトラベル」や東京五輪など、大企業優先・選挙目当て政治にうつつを抜かしてきた結果だ。八月二一日夕放送されたＴＢＳ「報道特集」は、この「自宅療養」の実態が「患者見殺し」以外のなにものでもないことを在宅医療の現場から生々しく伝えた。菅首相や政権幹部らは、メディア監視を目的に官邸で録画しているはずの「報道特集」を見て、放置された患者たちの絶望と苦しみ、現場の医師たちの苦悩と正面から向き合うべきだ。

●「もしかしたら、亡くなっているのでは」

まず、報道特集「感染爆発で医療崩壊の現実」の概要を紹介しよう。

――玄関のカギが空いており、部屋は電灯も点いておらず、真っ暗。独り暮らしの八〇代男性宅を訪れた田代和馬医師は、「もしかしたら亡くなっているのではないか」と大慌てで部屋の電灯をつけた。東京都大田区の「ひなた在宅クリニック」でコロナ患者たちの在宅医療に奔走する三二歳の若い院長だ。

男性は息をしていた。「ああ、よかった」と田代医師。だが、酸素不足と脱水症状で唇は紫色。オキシメーターで測ると、血中酸素飽和度は七五％と極めて重篤な状態だった。

男性は二年前から同クリニックの在宅医療を受けていたが、八月初めコロナに感染していることがわかった。病状は深刻だった。だが、入院先が見つからず、「自宅療養」。田代医師は毎日二回、男性宅を訪ねて診察・治療に当たってきた。

田代医師を男性の口に氷を含ませ、サイダーを飲ませた。「うまい」。男性の意識が戻ってきた。「ああ、よかった」。田代医師の表情がようやく柔らいだ。

こんな「中等症」以上の深刻な患者を田代医師は今、二〇人も診ている。保健所の支援が届かない独り暮らしの患者には、クリニックで食糧支援もしている。

菅首相は「在宅でも適切な医療が受けられる体制を作る」と言っていた。だが、その実態は「自宅療養という名の放置ですね」と田代医師。

別の日、三〇代男性の部屋。田代医師が保健所の要請で往診すると、血中酸素飽和度は九二％と酸素吸入が必要なレベルだった。しかし、入院先は見つかっていない。

五日後、「容体が急変した」との連絡で急行すると、男性は意識障害を起こしていた。沖縄から駆けつけたという母親に「人工呼吸も必要なほど厳しい状況です」と告げた。「息をしているかどうか、毎日見ています。こんなにひどい状態で、日に日に弱っていくんです」と母親。この男性はその後、入院先が見つかるまで八日もかかった。

田代医師が呟いた――「ある患者さんの家で、酸素が下がって意識がもうろうとして、生死の境にいるような人を治療している時、ふとテレビを見たら、都知事が着物を着て旗を振ってて、やっぱり愕然とした」

メダルラッシュに沸いた東京五輪の閉会式のことだ。田代医師が毎日直面する在宅医療の深刻な現場と比べ、なんという大きな落差か。

このクリニックでは、患者の部屋に置いた酸素濃縮装置が不足して一刻を争うため、本来業者に頼む装置の回収や輸送も田代医師自身が行ない、次の患者のもとに運び込むことまで引き受けている。それには苦渋の選択も強いられる。

病院でCTやレントゲン検査を受けるべき人、酸素吸入を開始すべき「血中酸素飽和度九三%」以下の人たちが自宅で喘いでいる。そんな症状の重い患者たちのうち、だれに優先的に酸素濃縮装置を回すか。トリアージ（災害現場などで緊急度や重症度に応じて傷病者の治療優先度を決める選別作業）に似た作業まで田代医師たちは強いられている。

「終わりが見えない」――田代医師が苦しそうにもらした言葉が私の胸に突き刺さった。

●「自宅療養が基本」と持論の「自助」を打ち出した菅首相

「報道特集」の番組中、何度か出てきた血中酸素飽和度。簡単に言うと血液中の酸素の量のことで、正常値で九九〜九六％とされている。それが九五％以下になると患者はどうなるのか。田代医師は「九二％まで下がると酸素吸入が必要」と説明した。

経験がない人にはピンと来ないと思うが、「血中酸素飽和度九二％」は、患者にとってかなりきつく苦しい状態だ。実は私自身、今年に入って抗がん剤の薬効がなくなり、肺がん（ステージⅣ）の病状が進行して、しばしば「九二〜九三％」まで下がった。

体内に酸素が十分回らず、息切れが激しくなる。歩くことはおろか、座っているのもトイレも辛く、一挙手一投足がたいへんな苦行になる。食事も大仕事になり、途中で放棄する。それでなくとも「がん」に栄養を奪われがちなのに、必要な栄養が摂取できず、どんどん痩せていく。私は今年初めからの半年間で約一五キロも体重が落ちた。

日々体力が低下し、鏡を見ると自分でも驚くほど衰弱している。こんな体調・体力で、「いざ」という時、ふだん治療を受けている都心の病院までたどり着くことができるか。そんな不安にも苛まれた。この窮状で何とか心身ともに私を支えてくれたのが、地域の訪問医療・訪問看護、栄養士による指導、理学療法士によるリハビリなどの支援だった。

私は訪問医など皆さんの見守りによって辛うじて体力を維持し、体調を整えることができた。そうして七月末、「がん増殖遺伝子」をピンポイントで叩く分子標的薬による治験開始にこぎつけた。それが劇的に奏功し、ようやく危機を脱出することができた。

こんな苦しい体験をしてきただけに、「報道特集」のカメラが映し出すコロナ感染者たちの苦しみが痛いようにわかった。患者や家族たちが、在宅医療で訪問してくれる医師にどれほど勇気づけられ、頼りにしているか、その思いが画面からひしひし伝わってきた。

コロナ感染が爆発的に拡大した八月初め、政府は「入院は重症患者や重症化リスクの高い人に重点化し、それ以外の人は自宅療養を基本とする」との方針を打ち出した。菅首相の持論「自助、共助、公助」そのままの冷酷なコロナ禍対策だ。

その後、菅首相は「中等症でも酸素投与が必要な方や重症化リスクがある方は入院していただく」「入院は医師の判断によって行い、自宅の患者についてもこまめに連絡を取れる体制を作り、症状が悪化したらすぐ入院できるようにする」とややニュアンスを変えた。ただ言葉の上では軌道修正したが、実態はまさに「自宅療養が基本」のままだった。

ＰＣＲ検査で陽性と分かり、肺炎を起こしてもすぐに受け入れてくれる病院がない。保健所は時々、電話やオンラインで症状を確かめてくれるが、病状が悪化してもすぐ駆けつけてくれるわけでもない。菅首相が約束した「すぐ入院できるよう」にはしてくれない。

八月一九日には、コロナに感染して「自宅療養」中だった千葉県の三〇代妊婦が早産となり、搬送先が見つからないまま自宅で出産、赤ちゃんが死亡する痛ましい事件が起きた。

そんな「自宅療養」による死者が全国で相次いだ。だれにも看取られず、苦しみながら亡くなっていく患者たち。こうした報道に接すると、「ひなた在宅クリニック」のような親身な在宅医療を受けられる患者は、「まだ恵まれている方」なのかもしれないとさえ思う。

●それでも強行された「東京五輪」——総選挙で菅政権に終止符を

菅首相は六月に行われた党首討論で東京五輪による感染拡大のリスクについて、「国民の生命と安全を守るのが私の責任だ。守れなくなったら、(五輪を)やらないのは当然」と述べていた。だが、まさに「国民の生命と安全が守れなくなった」感染爆発真っ只中の七月二三日、世論の圧倒的多数の反対を無視して、東京五輪を強行開催した。

四日後の二七日、「感染者数が下げ止まらない中で五輪を続けても大丈夫か」との記者の質問に、菅首相は「中止の選択肢はない」「人流は減少している。心配はない」「ワクチン接種は進んでいる」などと強弁した。そうして五輪に多数の医療スタッフを動員した。

今年に入ってほぼ出しっ放しの「緊急事態宣言」。そのターゲットは飲食店と若者たちで、政府として激増する感染者・重症患者の根本的な対策は何も実行されない。厚労省も都も、「自粛」を求めるだけで、医療機関や飲食店などへの経済的支援には及び腰だ。

そうして、「県境を越える移動は控えて」と自粛を呼びかけながら、「国境を越える大移動」である東京五輪を強行した。菅首相が先頭に立って、「人流は減少している」とコロナ禍を軽視する風潮を助長したと言うべきだ。「緊急事態宣言が出ていても、オリンピックを開けるのなら、外出してもいいんじゃないか」という心理が広がったのは当然だ。

ブレーキとアクセルを同時に踏む「観戦＝感染」策。それがもたらした深刻・重大な結果が、八月に入ってからいっきに全国に拡大した感染大爆発だった。

菅政権に対する支持率は、ついに「危険水域」とされる三〇％を割った。追い詰められた政府、厚生労働省と東京都は八月二四日、改正感染症法に基づき、都内の全医療機関に「病床確保・人材派遣」を要請した。「正当な理由がないにもかかわらず、応じなければ勧告し、従わなければ医療機関名を公表する」という、半ば「脅し」のような「要請」だ。

コロナ専用病棟など医療機関の確保、体育館やプレハブなどによる緊急医療施設の設置、医療スタッフ確保のための経済的保障・支援など、政府や都が取るべき対策を「正当な理由」なく、サボタージュしてきた。その責任を、一方的に医療機関に押しつける暴挙だ。

その一方で、菅首相や自民党幹部たちは総裁選、衆議院総選挙に向けた党内駆け引きに汲々としている。だが、二二日に行われた横浜市長選は、菅首相が推した候補が野党系候補に一二万票もの大差で惨敗した。

市民の視線はそれほど甘くなかった。首相の地元での大敗は、自民党内に「菅で総選挙を戦えるのか」との疑心暗鬼を生み出している。

コロナ禍のこれ以上の拡大を止めるには、菅政権を退場させるしかない。その大きなチャンスが年内に行われる衆議院総選挙だ。菅首相ら政権幹部は「報道特集」を見て、「自宅療養」の名で放置・見殺しにされた患者、医師や医療スタッフの苦境を直視すべきだ。彼らがそれをしないのなら、市民の手で権力の座から引きずりおろすしかない。

検察による口封じ殺人？　死刑執行された冤罪

――「飯塚事件の再審を求める東京集会」（オンライン）から（上）（九月一一日）

「飯塚事件」をご存知だろうか。一九九二年、福岡県飯塚市で起きた二女児殺害事件で逮捕され、無実を訴えていた久間三千年さんが死刑判決を受け、二〇〇八年に死刑が執行された（当時七〇歳）。その第二次再審請求の支援を訴える「飯塚事件の再審を求める東京集会」が九月四日、オンラインで開かれた。この事件で有罪判決の根拠とされたのが科警研（警察庁科学警察研究所）によるDNA型鑑定だった。一方、同じ時期・同じ手法で科警研が行なった「足利事件」のDNA型鑑定が誤りだったことが明らかになり、再審無罪となった。実は、この足利事件で「DNA型再鑑定へ」と報道されたのが〇八年一〇月上旬。その一〇日余り後、突然再審準備中の久間さんの死刑が執行された。それを知った時、私は恐ろしい疑惑に駆られた。この死刑執行は、足利事件に続いて「DNA冤罪＝DNA型鑑定を悪用した冤罪」が発覚するのを恐れた検察による口封じ殺人ではなかったか……。

●疑惑の死刑執行一年後、妻が再審請求

死刑執行からちょうど一年後の〇九年一〇月二八日、久間さんの妻が新たなDNA型鑑定などを新証拠（再審を開始すべき理由）として、福岡地裁に再審請求を申し立てた。

しかし、福岡地裁は一四年、科警研が行なったＤＮＡ型鑑定を「（久間さんの）犯人性を基礎づける事実とすることはできない」と認めたものの、「ＤＮＡ型鑑定以外の状況証拠による確定判決は揺るがない」として、再審請求を棄却した。

再審弁護団は即時抗告したが、福岡高裁は一八年、即時抗告を棄却。弁護団は特別抗告したが、最高裁第一小法廷は今年四月二一日、特別抗告も棄却した。

このため、久間さんの妻と再審弁護団は七月九日、確定判決の根拠とされた目撃証言を否定する新たな目撃証言などを理由に、二度目の再審請求を福岡地裁に申し立てた。

オンライン集会は、この第二次再審請求の意義・内容を報告し、支援の輪を広げていこうと企画され、飯塚事件再審の実現に向けて尽力してきた九州大学の大出良知・名誉教授、再審法改正をめざす市民の会の木谷明代表（元裁判官）、布川事件の冤罪被害者・桜井昌司さんら幅広い支援者たちの呼びかけで開催された。

集会では、弁護団から第一次再審請求を棄却した最高裁決定と第一次請求の総括、第二次再審請求の経過と内容が詳しく報告され、再審請求人である久間さんの妻のメッセージが読み上げられた。また、八月に国家賠償請求訴訟（国賠）の控訴審で勝訴したばかりの桜井さんが再審実現に向けて連帯のアピールを行い、「死刑執行は口封じ。何というひどい国だろう。久間さんの無念は必ず晴らせると確信しています」と訴えた。

集会について報告する前に、第一次請求に対する最高裁決定、第二次再審請求書、弁護団が編集したブックレット『死刑執行された冤罪・飯塚事件』（現代人文社、二〇一七年）などをもとに、まず事件と裁判、再審請求審の経過を紹介しておこう。

●福岡県警は事件直後から久間さんを犯人視し、「見込み捜査」

九二年二月二〇日、飯塚市内で登校途中の小学校一年生女児二人が行方不明になり、翌日、約二〇キロ離れた福岡県甘木市（現・朝倉市）の山中で遺体が発見された。死因は扼殺、二人の膣内などから微量の血液が検出された。

福岡県警は、かつて近くで起きた同種の事件で捜査対象にしたことのある久間さんを事件直後からマークし、その動静を監視（見込み捜査）。三月には遺留品発見現場付近で「ダブルタイヤのワンボックスカーを目撃した」とのT証人の調書を作成した。久間さんは、この「目撃証言」に合致する車を持っていた。

続いて県警は久間さんに毛髪を任意提出させ、遺体周辺から採取された血液とともに科警研に鑑定を依頼。科警研は六月、〈血液型は、犯人のものとみられる血液、久間ともにB型。DNA型は「MCT118型鑑定」の結果、犯人のものとみられる型と久間が提出した毛髪から採取した型が一致した〉との鑑定書を出した。

県警は七月、その「追試」として帝京大学の石山昱夫《いくお》教授にDNA型鑑定を依頼した。石山教授は「ミトコンドリア法」という当時、最も鋭敏な検査とされた方法で検査。約一年半後の九四年一月に出された石山教授の鑑定書は、「久間さんのDNA型は検出されず、被害者以外の第三者（犯人と思われる）の型が検出された」と結論した。

それでも県警は九四年九月二三日、久間さんを死体遺棄容疑で逮捕した。

翌日の『朝日新聞』夕刊（東京本社版）は、社会面トップ見開きで《56歳無職男性を逮捕／小1女児2人殺害事件／遺体運び捨てた容疑／DNAと繊維鑑定が決め手》と大々的に報道、久間さんの経歴や一問一答を掲載した。『読売新聞』も、社会面四段で《無職の56歳男性逮捕／遺棄容疑／殺人容疑でも追及》と大きく報じた。

『朝日』はその後も、続報で《ワゴン車入念に清掃／容疑者、売却直前に》《容疑者に似た男目撃／遺留品の現場、車で去る》などと犯人視の報道を続けた。

久間さんは六六日間に及んだ取調べに一貫して否認した。県警は一〇月一四日、久間さんを死体遺棄罪で起訴し、殺人容疑で再逮捕した。だが、その後も「自白」は一切なかった。

九五年二月二〇日、福岡地裁で初公判が開かれ、久間さんは起訴内容を全面否認。その後も一貫して無実を訴え続けた。しかし九九年九月二九日、福岡地裁は久間さんに死刑判決を言い渡した。判決は「被告人の犯行との結びつきを証明する直接証拠がなく、個々の状況事実の単独では被告人を犯人と断定することが出来ない」としながら、概略次のような「状況事実」を列挙し、有罪と認定した。
①被告人の車のシートから検出された血痕と被害者の一人の血液型が一致する、②遺体から検出された血液型、DNA型が被告人と一致する、③現場付近で目撃された車と被告人の車種が一致する、④被害者の着

衣に付着した繊維と車のシートの繊維が同一、⑤被告人には土地鑑があり、アリバイも不明。

私が参加する「人権と報道・連絡会」では二〇一〇年一月の定例会で、弁護団の徳田靖之弁護士から事件と裁判の経過について詳細な報告を受けた。その中で徳田弁護士は、一審判決が有罪の根拠とした「状況事実」について、次のように問題点を指摘した。

「①車のシートの血液型が被害者と一致したというが、血液型だけでそれを被害者の血痕と断定することはできない。③④は車種が同じというだけの話。⑤は全くの間接証拠に過ぎない。③の目撃者が目撃した人物は『年齢三〇~四〇歳。髪は長めで七・三分け』ということだったが、久間さんは当時五五歳、髪はオールバックだった」

結局、一審判決は「②科警研によるDNA型鑑定」に依拠して有罪と認定したことになる。だが、そのDNA型鑑定をめぐっても重大な矛盾があった。実は、科警研は「MCT118型鑑定」のほかに、独自に「HLADQα型」検査も行っていたが、この検査では被害者の血液から久間さんの型は検出されなかった。そして、石山教授の「ミトコンドリア法」による鑑定も不一致だった。つまり、県警は複数のDNA型鑑定を行ったものの、「MCT118型鑑定」以外はすべて「久間=犯人」説を否定していたことになる。

久間さんはこの一審判決に対して直ちに控訴したが、二〇〇一年一〇月一〇日、福岡高裁は控訴を棄却。さらに〇六年九月八日、最高裁は上告を棄却した。各裁判所は、弁護側が指摘したさまざまな疑問・矛盾を無視。結局、科警研の「MCT118型鑑定」によるDNA型鑑定をほぼ唯一の根拠とした死刑判決が確定した。

●「足利事件のDNA型再鑑定へ」報道の直後に死刑執行

その二年後、状況が大きく動いた。同じ科警研鑑定（「MCT118型鑑定」）を証拠に有罪とされた足利事件について、〇八年一〇月、東京高裁が再鑑定する方針を決めた。

足利事件とは、一九九〇年五月、栃木県足利市のパチンコ店で四歳女児が行方不明になり、渡良瀬川河川敷で遺体が発見された事件だ。栃木県警は九一年一二月、科警研のDNA型鑑定を証拠として保育園の送迎バス運転手だった菅家利和さんを逮捕。菅家さんは起訴され、裁判途中から無実を訴えたが、無期懲役の有罪判決が確定、服役させられていた。

この東京高裁の再鑑定方針について、新聞各紙は、《高裁、DNA再鑑定へ》（一〇月一七日付『朝日』）、《DNAを再鑑定へ》（一八日付『毎日新聞』）と、全国版で大きく報じた。

これは当時、再審請求を準備していた久間さんに大きな希望の光となったはずだ。ところが、この報道から約一〇日後の一〇月二八日、法務省は突然、久間さんの死刑を執行した。

死刑執行を命じた法務省が、足利事件の再鑑定報道を知らなかったはずはない。森英介法相は「慎重かつ適正な検討を加えた」と述べた。いったいどんな「検討」をしたのか。

それから約半年後の〇九年五月、足利事件のDNA型鑑定結果が出た。弁護側・検察側が推薦した鑑定人二人が、いずれも「STR法」による鑑定で「犯人と菅家さんのDNA型は一致しない」と結論した。

弁護側推薦の本田克也・筑波大教授は、「MCT118型」による追試鑑定も行った。結果は、菅家さんが「18―29型」、犯人は「18―24型」。どちらも「16―26型」としていた科警研の鑑定結果は、精度の低い「MCT118法」においても完全な誤りだった。

飯塚事件弁護団は、この本田教授に飯塚事件の再鑑定を依頼した。ところが、飯塚事件では捜査段階で採取された鑑定試料を科警研が「全量消費していた」という。このため、本田教授は科警研鑑定のデータ・写真を解析し、再鑑定した。

その結果は、「科警研鑑定はDNA型も血液型も誤り」という衝撃的な内容だった。血液型は、犯人がAB型、久間さんはB型。「MCT118型」によるDNA型は、犯人が「16―25型」、久間さんは「18―30型」だった。科警研鑑定は、犯人・久間さんとも「16―26型」としていたが、それはすべて間違っていた、と本田鑑定は指摘した。

遺族と弁護団は死刑執行一年後の一〇月二八日、本田鑑定を新証拠に再審を請求した。だがメディアの反応は鈍く、全国紙各紙が社会面三～四段で伝えただけだった。その背景には、逮捕時にメディアが繰り広げた犯人視報道がある。徳田弁護士は「人権と報道・連絡会」で、「九州では東京以上にひどい犯人視報道が行われ、みんな久間さんを殺人鬼と信じ込まされました」と話した。メディアも〈無実の死刑〉に加担していた。

検察による口封じ殺人？　死刑執行された冤罪

――「飯塚事件の再審を求める東京集会」（オンライン）から（中）（九月一三日）

久間三千年《くまみちとし》さんの死刑執行は、「DNA冤罪」が露顕するのを恐れた検察の「口封じ殺人」ではなかったか――こんな恐るべき疑惑をはらんだ「飯塚事件」。その再審を目指して開かれたオンライン集会（九月四日）では、最高裁「特別抗告棄却」決定（四月二一日）の問題点、久間さんの妻と再審弁護団が福岡地裁に申し立てた第二次再審請求（七月九日）の内容が詳しく報告された。一連の報告は、①科警研DNA型鑑定のデータ改ざん、②有罪判決の根拠とされたT目撃証言の不自然さ――など、死刑判決の「証拠」が福岡県警によって改ざん・捏造されたものであることを明らかにした。

●「もっと早く再審請求していれば」……

集会ではまず、刑事裁判から弁護活動に取り組んできた徳田靖之弁護士が、第一次再審請求の経過と請求棄却決定の問題点を報告、最初に飯塚事件の三つの特徴を挙げた。

第一は、死刑が執行されてしまった事件であること。執行は〇八年一〇月二八日だったが、徳田弁護士は少し前に久間さんに面会し、再審請求について話し合っていた。「あの時もう少し早く再審請求していれば、執行はなかったのではないか。弁護士の怠慢で執行を許してしまった。その過ちを背負いながら再審に取り組んできました」と徳田弁護士は悔やむ。

一方、死刑執行された事件であることは、裁判官にはハードルの高さになり、慎重な審理を求められる。もし再審無罪になれば、国家による過った殺人を認めることになる。「それが、裁判所が再審開始を拒み続ける理由にもなります」と徳田弁護士。

第二は、真犯人を特定できる証拠の血痕がありながら、捜査段階で全量消費されてしまったこと。被害者の膣内などから採取された血痕・体液は「一〇〇回鑑定ができるぐらい十分な量があった」(石山昱夫・帝京大学教授)のに、科警研の技官たちは三回の鑑定で「全部使い切ってしまった」という。しかも、「使い切った」理由も明らかにされていない。徳田弁護士は「これが、無実を証明するうえで大きなハンデになっています」と述べた。

だが、試料の血痕はほんとうに「全量消費」されたのか、そんな疑問もある。

第三は、任意取調べを受けた段階から死刑執行の日まで、久間さんが終始一貫無実を訴え、完全否認を貫いた事件であること。わが国ではこれまで、免田事件など再審で死刑囚が無罪になった事件はあるが、その多くは何らかの形で「自白」が取られており、その任意性、信用性が否定されて再審開始の道が開かれてきた。

本件では、こうした自白が全く存在せず、直接的証拠もない。確定判決も、「間接事実の総合評価によって犯人性を判断するしかない」とした。それだけに、裁判では有罪認定の中核となった「状況証拠」の証拠能力、信用性が徹底的に吟味されなければならない。

弁護団は再審請求で、確定判決の証拠構造の中核が、①科警研のDNA型鑑定、②遺留品発見現場でのT目撃証言であるとし、この二つに証拠価値がないことを立証した。

●DNA型鑑定、目撃証言のでたらめさを立証した新証拠

福岡地裁に申し立てた第一次再審請求（〇九年一〇月）で、弁護団は二つの新証拠を提出した。一つは、本田克也・筑波大教授によるDNA型鑑定・血液型鑑定に関する法医学鑑定書。二つ目は、厳島行雄・日本大学教授によるT目撃証言に関する心理学鑑定書だ。

本田鑑定は、科警研による「MCT118型」鑑定の証拠能力を全面的に否定した。鑑定書によると、「MCT118型」によるDNA型について、科警研鑑定は犯人・久間さんとも「16―26型」としていたが、久間さんのDNA型は「18―30型」であり、明らかに誤っていた。血液型についても「被害者はO型とA型であり、犯人はAB型。B型の久間さんは犯人ではありえない」と結論した。久間さんの無実を物語る衝撃的な鑑定だ。

再審請求審では、科警研がDNA型鑑定の際に撮影したネガフィルムが証拠開示され、本田教授が解析した結果、科警研鑑定書に添付された写真が改ざんされていたことも明るみに出た。ネガフィルムには確定判

決で証拠採用された写真より広い範囲が写っていた。そのネガの写真に焼き付けられていない部分に、「久間さんでも被害者のものでもないDNA型」が確認された。これは真犯人のもの以外に考えられない。科警研はそれを隠すため、意図的に写真を切断して焼き付けたと考えるほかない。徳田弁護士は「ネガフィルムは科警研による証拠改ざんの痕跡を示す証拠」と指摘した。

巌島鑑定は、T目撃証言が警察官に誘導されたものであると断定した。T目撃証言とは、女児二人が行方不明になって数時間後、〈遺留品発見現場の近くの山道で久間さんの車と特徴が同じ紺色のワンボックスカーを見た〉という内容だ。巌島教授は現場で再現実験を行い、このT証言の不自然さを指摘した。

事件発生（九二年二月二〇日）から二週間余、三月九日に作られた供述調書は、T証人が「目撃した」という不審車と不審人物について、極めて詳細に供述している。

T供述は不審車の特徴として、①ナンバーは不明、②標準タイプのワゴン車、③メーカーはトヨタやニッサンではない、④やや古い型、⑤車体は紺色、⑥車体にはラインがなかった、⑦後部タイヤはダブルタイヤ、⑧後輪のホイルキャップの中に黒いラインがあった、⑨窓ガラスは黒く車内は見えなかった――という九項目を挙げた。

不審人物の特徴としては、①頭の前の方が禿げていた、②髪は長めで分けていた、③上衣は毛糸で、④胸はボタン式、⑤薄茶色の、⑥チョッキで、⑦チョッキの下は白いカッターの長そでシャツを着ていた、⑧年齢は三〇~四〇歳だった――という八項目を挙げた。

しかし、T証人がこの不審車を目撃したという現場の「八丁峠」はカーブが続く山道。T証人は坂道の下りカーブを時速二〇〜三〇キロで運転中、左カーブで対向車線に停まっていた「不審なワゴン車」を見た、としている。

はたして、山道の下りカーブを運転中に、前記のような詳細な「目撃」が可能なのか。車がすれ違うのに要するのはほんの数秒。しかも、「後輪がダブルタイヤだった」というのは、下りカーブで後ろを振り返って見る危険を冒さなければ知り得ない情報だ。

厳島教授は、現場での走行再現実験の結果に基づき、「目撃はごく短時間であり、対象物の詳しい形状まで記憶することは不可能。T目撃証言は作られた供述」と断言した。

さらに、再審請求審で証拠開示された捜査報告書により、T証言が捜査員の誘導によるものであることを示す事実が明らかになった。実は供述調書が取られる二日前の三月七日、捜査員が久間さん宅を下見して車を調べ、「車体にはボディラインなし」などと報告していた。この捜査員が二日後、T証人の聴取を担当し、調書を作成していたのだ。

当時、久間さんが乗っていたのは、マツダの「ウエストコースト」というワゴン車。この車種には本来、車体に特徴的なラインが付けられていたが、久間さんはラインを消して乗っていた。そのことを知らなければ、わざわざ「トヨタやニッサンではない」「ラインがなかった」などと供述するわけがない。詳細なT証言は、捜査員による完全な誘導だった。

●再審申し立てに判断を回避した最高裁

確定死刑判決が有罪認定の根拠とした二つの柱＝ＤＮＡ型鑑定とＴ目撃証言は、弁護団が提出した二つの新証拠と再審請求審で開示された証拠により、完全に破綻した。

ところが、二〇一四年三月三一日付で福岡地裁が出した決定は「請求棄却」だった。

地裁決定は、科警研のＤＮＡ型鑑定については「証明力の評価に変化が生じた」として事実上、証明力を否定した。しかし、Ｔ目撃証言については、「厳島鑑定は供述の信用性を揺るがすものではない」「新証拠によって旧証拠の証明力や信用性が減殺されることはない」などとして、証拠能力を認めた。

山道の下り坂カーブを走行中、わずか数秒間すれ違っただけで、運転者の髪形や詳しい服装から、「車体にはラインがなく、後輪はダブルタイヤだった」などという車の特徴までつかみ記憶していた、などという荒唐無稽な「証言」を、裁判官たちは「信用できる」と言うのだ。そんな裁判官たちの判断を私たちは「信用できる」だろうか。

そのうえで地裁決定は、「ＤＮＡ型鑑定以外の状況証拠を総合すれば、事件本人（：久間さん）が犯人であることについて、合理的な疑いを超えた高度の立証がされていることに変わりはなく、新証拠はいずれも確定判決の認定に合理的な疑いを生じさせるものではない」と結論付け、再審請求を棄却した。

さらに福岡高裁は一八年二月六日、弁護団の即時抗告を棄却、最高裁も今年四月二一日、「記録を精査しても、原決定（再審請求棄却決定）を取り消すべき事由は見当たらない」として、特別抗告を棄却する決定を行なった。

弁護団は特別抗告で、二つの新証拠をめぐる論点だけでなく、高裁決定の憲法違反も指摘していた。福岡高裁の再審請求審では、裁判官三人のうち一人が、刑事裁判で死刑判決を出した一審・福岡地裁の審理に主任裁判官として参加していた。

かつて自分が加わり死刑判決を出した裁判の再審請求に対して、ニュートラルな状態で審理に臨むことができるのか。裁判官は、もし再審請求を認めれば、自分が「無実の人に対する死刑」を命じた事実に直面することになる。

弁護団は特別抗告で、「これは憲法三七条が定める〈公平な裁判を受ける権利〉に反する」と指摘し、憲法違反を主張したが、最高裁決定はこれについて判断を示さなかった。

この決定について、徳田弁護士は「決定文はわずか六ページ。ほとんど何も書いていないに等しく、これでは分析のしようもない。特別抗告から三年も経っており、最高裁は特別抗告を正面から受けとめて真摯に検討していると思っていたのに、弁護団の申立てに対してほとんど判断を回避した」と憤りをこめて批判した。

それでも徳田弁護士は、第一次再審請求の到達点として、次の二点を挙げた。

第一に、ＤＮＡ型鑑定で久間さんの型が全く検出されなかったことが明らかになり、有罪判決の証拠の主たる柱の一つが破綻したこと。第二に、T目撃証言が捜査員に誘導されたものであることが明らかになり、その信用性が徹底的に揺らいだこと。

それに、第二次再審請求では、警察が握りつぶしてきた真犯人につながる新たな目撃証言が加わる。この強力な新証拠を前に、裁判所は、司法が犯した「冤罪死刑」という取り返しのつかない過ちに目を逸らし続けることができるだろうか。

検察による口封じ殺人？　死刑執行された冤罪

──「飯塚事件の再審を求める東京集会」（オンライン）から(下)（九月一五日）

久間三千年《くまみちとし》さんの死刑執行は、「口封じのための国家殺人」ではなかったか──「飯塚事件」の再審実現を目指して開かれたオンライン集会（九月四日）で、この事件の捜査をめぐり、「真犯人の目撃証言無視」という新たな疑惑が指摘された。弁護団は七月に申し立てた第二次再審請求で「事件当日、被害少女二人と真犯人と思われる人物を目撃した」というKさんの証言を新証拠として提出した。驚くべきことにKさんは事件直後、犯人に直結するこの目撃を警察に通報したのに、福岡県警はこの決定的証言を調書も取らずに握りつぶしていた。事件発生から二九年ぶりに浮上した真犯人の影。久間さんに対する見込み捜査に突っ走っていた警察は、「冤罪による死刑」だけでなく、みすみす「真犯人を逃がす」というもう一つの重大な罪も犯していた疑いが濃厚になった。

●「今にも泣きだしそうだった少女の顔」──鮮烈な二九年前の記憶

集会では、徳田靖之弁護士に続き、再審弁護団主任弁護人の岩田務弁護士が第二次再審請求の新証拠と第二次再審請求の課題について報告した。

新証拠は、福岡県内に住む男性Kさん（七二歳）が、「事件当日の一九九二年二月二〇日午前一一時ごろ、飯塚市内の八木山バイパスを走行中、後部座席に小学生の女児二人を載せたワンボックスタイプの軽自動車を目撃した」という証言だ。

その現場は、女児二人が行方不明になった場所に近接した場所。Kさんが弁護士に行なった陳述によると、問題の軽自動車は制限を下回る時速四〇キロ以下でノロノロ運転していた。その後ろについてイライラしていたKさんは、登坂車線で軽自動車を追い越す際、「こんな迷惑な運転をするのはどんな奴か」と思って運転席を見た。すると、「自分より少し若いくらい（三〇～四〇歳）の色白で坊主頭、細身の男性」が運転しており、後部座席には「オカッパ頭でランドセルを背負った女の子」が乗っていた。また、後部座席には「もう一人、女の子が横になっていて、その横にもランドセルがあった」――。

しかし、Kさんはなぜ、そのような三〇年近くも前の古い記憶をはっきり覚えていたのか。そしてなぜ、今ごろになって「証言」することにしたのか。当然、検察側は突っ込んでくる。これについて岩田弁護士は、①記銘、②保持、③想起――の三点から説明した。

①〈記銘〉＝なぜ記憶に残ったか。理由は、非常に強い印象を受けた出来事であったこと。後部座席に乗っていた女の子は「うらめしそうな」「うらさびしそうな」「今にも泣きだしそうな」表情をしていた。その異常な表情とともに、平日昼前の時間帯にランドセルを背負った子どもが車に乗っているのを不審に感じ、「誘拐ではないか」という思いを抱いた。さらにその夜、「飯塚市内で少女二人が行方不明」というニュースが

流れ、「自分が見たのは行方不明の少女たちではないか」と思い、翌朝一一〇番通報して目撃内容を伝えた。

②〈保持〉＝なぜ記憶を保ち続けたか。一一〇番通報の一週間後、刑事が来て事情聴取を受け、目撃内容を詳細に説明した。ところが、刑事はメモをしただけで供述調書は取らず、その後何の連絡もしてこなかった。しかし、自分が目撃したのは被害少女と真犯人だと確信し、三年後の第一回公判を傍聴して直接確認した。すると、被告人は自分が目撃したのと全くの別人で驚いた。ただ、「DNA型鑑定が一致した」という検察官の冒頭陳述を聞き、自分が目撃した車は事件に関係がなかったのか、と思い直した。

③〈想起〉＝なぜ今回、その目撃を思い出したのか。その後も事件について関心を持ち続けていた。二〇一九年、『西日本新聞』が飯塚事件に関する特集記事を連載した。その中に、「DNA型鑑定が崩れた」という記事があり、「それなら、やはり自分が見たのは犯人だったに違いない」と思い、『西日本新聞』に連絡した。それが記事になり、徳田弁護から連絡があって、新証拠となる詳細な陳述書が作成された。その中で、弁護士にこう訴えた――「あの女の子の恨めしそうな表情が二八年間、私を離してくれなかった」。

●第二次再審請求で問い直される「T供述」の信用性

岩田弁護士は「Kさんが目撃したのが犯人であれば急転直下、真犯人の存在とともに久間さんの無実もはっきりする」と述べ、再審請求でK証言の果たす役割を解説した。

K証言は、第一次再審請求の地裁決定がほぼ唯一の「証拠」とした「T供述」と真っ向から対立する。事件の二週間余り後、「不審なワゴン車を見た」と供述したT証言と、事件翌朝、「少女二人が乗った軽自動車を見た」と通報したK証言。二つの証言の信用性は表裏一体であり、K証言の信用性が強まれば、T供述の信用性は弱まる。

しかも、T供述は犯行（被害少女）を直接目撃したものではなく、間接証拠に過ぎない。しかし、K証言は「被害少女二人を目撃した」というもので、直接証拠となる。

この重要な手掛かりとなる目撃通報を受けた福岡県警は、直ちに捜査員を出して供述調書を取るべきなのに、一週間後に刑事が来てメモしただけで放置した。

その一方、警察は久間さんに対する見込み捜査に走り、「久間＝犯人」に合致する証拠集めに躍起になった。そうして作られたのが、「ワゴン車の詳しすぎる特徴」をはじめ、捜査員に誘導された痕跡が顕著なT供述だった。

岩田弁護士は「第二次再審請求では、T供述の信用性が攻防の中心になる。全部目撃するのは不可能なほど膨大な情報を『目撃した』とするT供述を、裁判官は『誘導はなく、信用できる』と評価した。これをKさんの目撃証言を中心に、いろんな方向から崩していく。それが第二次再審請求の課題です」と報告を締めくくった。

●「久間三千年は無実です」――妻の悲痛なメッセージ

岩田弁護士の報告に続き、再審請求人である久間さんの妻が集会に寄せた次のようなメッセージが紹介された。

「久間三千年は無実です。私たち家族の幸せは、平凡な生活の中にあり、夫の優しさ思いやりは、日々の生活の中に満ちあふれていました。夫は一方的に犯人扱いされ逮捕、起訴され裁判にかけられました。夫は終始一貫して無実を訴え続けてきました。

私たち家族は、夫を疑ったこともなく、理不尽な仕打ちを受けながらも夫が生かされていることだけを、心のよりどころとして、耐え続けてきました。

突然の死刑執行に目の前が真っ暗になり何も考えられなく、途方に暮れました。

無実を訴え続ける夫に殺人の汚名を着せて、命まで奪う国の法律があるとは、思ってもみませんでした。

無実を訴え続け命まで奪われた夫の無念を晴らし名誉を回復するために再審請求をしましたが、最高裁での特別抗告も棄却されました。

令和三年七月九日に、第二次再審請求をしました。

どうしてなのでしょうか。終始一貫して無実を訴えている者の再審の審理は、無理なのでしょうか。すぐにでも裁判を受ける権利は平等にあるべきです。

無茶なことを言っているのではなく、裁判が間違っているからやり直して欲しいと願っているだけです。公平な権利さえも与えられないのでしょうか。

裁判所において、刑事裁判の目的は、『無罪の発見である』、被告人の人権保障にある。『百人の真犯人を逃がしても一人の無辜《むこ》を罰してはならない』とする考え方。

刑事裁判は、憲法に保障されている人権を守るためにあると、ある書籍に書いてありました。このことを原点として裁判に臨んでいる裁判官もいらっしゃいます。

検察官の職務についても「公益の代表者」と義務づけ、真相究明と同時に被告人の後見的役割を担う、とあり、法的用語や条文など解りにくいところは多いのですが、再審を願っているだけなのです。

どうか、皆様方のお力添えを宜しくお願い致します。いつ、どんな時でも一人の人間が公平公正な裁きを受けられることを心から望んでいます。


令和三年九月四日」

●「久間さんの無念を晴らす」――桜井昌司さんの連帯アピール

続いて、布川事件冤罪被害者・桜井昌司さんが連帯のアピールを行なった

「話を聞くたび、ひどい事件だと思います。東の足利、西の飯塚と言われ、ＤＮＡ型鑑定で有罪にされた。しかし、久間さんは死刑が執行された。何という国家だろうと思う。警察はなぜK証人にきちんと聴取しなかったのか。別の事件で警察は久間さんを疑っていたそうで、警察はひたすら有罪証拠をかき集めた。布川でも同じことがありました。

T供述を検証した八丁峠の映像を見て思いました。現場は九十九折の山道で、道路の左側には溝があり、

脱輪するかもしれない。そんな場所で、対向車がダブルタイヤだったなんてわかりっこない。こんなことを優秀な裁判官がなぜわからないのか。

日本の警察はこれまでも証拠を捏造してきました。そうして、どれだけの人が刑務所に入れられ、殺されてきたか。すべてが無責任です。冤罪事件で国家賠償しても、だれも懐が痛まない。そのお金も税金です。足利事件、布川事件、ゴビンダさんの事件（東電事件）、東住吉事件。だれもその責任を追及しない。

再審法を改正しないといけない。税金で集めた証拠を法廷に出すのは当たり前じゃないですか。久間さんの無念は必ず果たせると確信しています。必ず勝ちます。一緒にがんばりましょう。無惨に殺された人の無念を晴らす。殺したのは誰か、検察庁です」

桜井さんは一九六七年に起きた布川事件で杉山卓男さん（故人）とともに無期懲役刑が確定したが、二〇一一年に再審無罪をかちとった。八月二七日、この冤罪の責任を問う国家賠償訴訟の控訴審で勝利し、国・県は上告できず九月一〇日、勝訴が確定した。桜井さんは一三日に会見し、「五四年間ずっと背負っていた冤罪の重荷を下ろすことができた」と話した。

だが、桜井さんの闘いは終わらない。国賠訴訟の一審勝訴後、直腸がんが見つかり、食事療法でがんと闘っている。そうして、冤罪と闘う全国の「獄友」の雪冤のために東奔西走する。久間さんの無念を晴らす。それも、桜井さんの大きな目標の一つだ。

冤罪＝再審無罪が確定しても犯人視をやめない警察
――「湖東記念病院事件」国賠訴訟で露呈した警察の無反省体質（一〇月一四日）

二〇〇三年に滋賀県東近江市の病院で患者が死亡、元看護助手・西山美香さんが「患者の人工呼吸器を外した」として逮捕、起訴された「湖東記念病院事件」。殺人罪で懲役一二年の有罪判決を受けた西山さんは獄中から再審を請求、服役後の昨年三月に再審無罪が確定した。西山さんは昨年一二月、国（検察）と県（滋賀県警）に計四三〇〇万円の損害賠償を求める訴訟を大津地裁に起こしたが、その訴訟で県警は九月一五日、再審無罪判決を否定し、西山さんを犯人と断定する準備書面を提出してきた。西山さんと弁護団が抗議すると、滋賀県知事、県警本部長は謝罪し、県警は一〇月五日、準備書面の一部を訂正した。今回の県警の対応は、無実の人を苦しめた冤罪の反省どころか、裁判で無罪が確定しても犯人視をやめない警察の人権意識の欠落、無反省体質を改めて浮き彫りにした。

●刑事が「恋愛感情」につけ込み、虚偽自白調書を作成

〇三年五月二二日未明、湖東記念病院に入院していた高齢の男性患者が心肺停止状態で見つかり、死亡した。滋賀県警愛知川署は当初「人工呼吸器が外れたのに気付かず、患者を死亡させた業務上過失致死事件」

として捜査したが、当直の看護師や看護助手の西山さんは「(人工呼吸器が外れたことを示す)アラームは鳴っていなかった」と過失を否定した。

だが、県警本部の山本誠刑事が机を叩いたり椅子を蹴ったりして脅し、「アラームが鳴っていただろう」と執拗に供述変更を迫ると、怖くなった西山さんは供述を変えた。すると、刑事は急に優しくなり、西山さんはやがて、この刑事に好意を寄せるようになったという。

しかし、別の当直看護師はアラーム音を認めず、西山供述との食い違いを追及されてノイローゼ状態になった。それを知って悩んだ西山さんは「アラームは鳴っていた」との供述を撤回するが、山本刑事は撤回を受け入れない。その繰り返しと恋愛感情のはざまで悩み、追い詰められた西山さんは「私が人工呼吸器の管を抜いた」と供述してしまった。

〇四年七月六日、県警は西山さんを殺人容疑で逮捕した。西山さんは接見した弁護士には「やってない」と訴えたが、山本刑事の取調べになると再び「犯行」を認めた。そうして警察が描いたストーリー通りの「自白調書」が作成され、殺人罪で起訴された。

検察は裁判で「被告人は病院の処遇などへの憤懣を募らせ、その気持ちを晴らすために患者を殺そうと企て、殺意をもって人工呼吸器のチューブを引き抜き、酸素供給を遮断して呼吸停止状態に陥らせ、急性低酸素状態による心停止で死亡させた」と主張した。

西山さんは第二回公判から再び犯行を否認、「自白」は好意を抱いた山本刑事に迎合して誘導されたものとして無実を訴えた。弁護団は、西山さんと「事件」を結びつけるのは「自白」以外になく、その供述変遷の著しさに加え、つじつまの合わない犯行動機や実行行為の不自然さなどから、「自白」は信用できないとして無罪を主張し、争った。

しかし、大津地裁は〇五年一一月、「自白は迫真性に富み、信用できる」などとして懲役一二年の有罪判決を言い渡した。さらに大阪高裁は〇六年一〇月、西山さんの控訴を棄却し、最高裁も〇七年五月、上告棄却を決定し、有罪判決が確定した。

●「自白の信用性も事件性も認められない」と再審で真っ白無罪判決

西山さんは服役中の二〇一〇年九月、大津地裁に再審を請求した。だが、大津地裁は一一年三月、大阪高裁も同五月、請求を棄却し、最高裁も一一年八月、請求を棄却した。

西山さんは一二年九月、第二次再審を請求した。大津地裁は一五年九月、請求を棄却したが、西山さんが満期出所（一七年八月）した後の一七年一二月、大阪高裁は地裁決定を破棄して再審開始を決定。一九年三月、最高裁が検察の特別抗告を棄却し、再審開始が確定した。

第一次、第二次再審請求で弁護団は、①急性低酸素状態による心停止で必ず現れる症状が解剖所見に見られない、②病院を困らせるために事故を装った犯行なら、「殺人」を供述する必要はなかった、③西山さんには軽度の知的障害があり、取調べの刑事は自分に対する恋愛感情も利用して供述を誘導した――ことなどを示すさまざまな新証拠を提出した。

再審公判で検察は有罪立証を放棄。大津地裁は二〇年三月三一日、無罪判決を言い渡した。判決は、①死因を「人工呼吸器の管の外れ」による酸素供給欠乏と認めるに足る証拠はなく、致死性不整脈や他の原因で死亡した可能性があり、事件性を認めるに足りない、②自白は著しく変遷しているうえ医学的知見とも矛盾し、信用性に疑いがあるだけでなく、被告人の恋愛感情を利用して作られた疑いが強く、任意性も認められない——と認定。大西直樹裁判長は最後に「被告人の声に耳を傾けること、疑わしきは被告人の利益にという刑事裁判の原則に忠実になることの重要性を改めて感じた」と異例の「説諭」を行なった。

検察は控訴を断念し、「真っ白無罪」が確定した。それを受けて西山さんは二〇年一二月、国と県を相手取って計四三〇〇万円の損害賠償を求める国家賠償訴訟を大津地裁に起こした。

●国賠訴訟で滋賀県警が無罪判決を否定し、犯人視する準備書面

ところが、この国賠訴訟で被告・滋賀県（県警）は九月一五日、再審無罪判決を真っ向から否定し、西山さんを犯人と断定する内容の第一次準備書面を提出した。

書面は、「被害者を心肺停止に陥らせたのは原告」と断定し、「取調官が恋愛感情を利用して虚偽の自白を誘導した」との再審判決の指摘を、「根本的にあり得ない」と全否定。再審判決で大西裁判長が「取調べや証拠開示が一つでも適切に行われていれば、逮捕・起訴はなかったかもしれない」と述べたことについても

「承服しがたい」と開き直った。

これに対し、西山さんの訴訟代理人一同（井戸謙一・弁護団長）は翌一六日、県・県警側に抗議し、書面を撤回するよう求めて、次のような意見書を送った。

《（書面は）美香さんを無罪とした刑事確定判決の判断を正面から否定するものであるとともに、逮捕後一六年を経てようやく雪冤を果たして平穏な生活を取り戻した美香さんを再び愚弄し、その名誉を著しく毀損するものである》《本件は、大阪高裁の再審開始決定を最高裁が是認し、再審公判においては検察官が有罪立証を放棄し、大津地裁が美香さんの自白の任意性や信用性を否定したばかりか、そもそも何らかの犯罪が行われたことの証明すらないと断じ、この判断に対し、検察官が控訴を断念して真白な無罪が確定した》

意見書は、滋賀県警・滝沢依子本部長が昨年六月の県議会で「大変申し訳ない気持ち」と謝罪したことについて、「今回の滋賀県の主張によれば、県警本部長の謝罪はその場しのぎの二枚舌だったということになる」と厳しく批判。この日、井戸弁護士とともに会見した西山さんは「怒り心頭です。あきれてものも言えない」と憤りを込めて語った。

抗議を受け、滋賀県の三日月大造知事は一七日、「準備書面の内容はまことに不適切だった」と謝罪した。書面は県警から県に回ってこず、書面の内容を知らなかったという。滝沢県警本部長も二八日、県議会で謝罪。県警は一〇月五日、準備書面の一部を訂正した。ただ、「心肺停止に陥らせたのは原告」とした記述については「心肺停止に陥らせたのは原告であると判断する相当な理由があった」と断定的な表現を訂正したのにとどまった。

九月一八日付「デジタル鹿砦社通信」に掲載された井戸弁護士のインタビュー記事（田所敏夫記者）によると、冤罪の国賠訴訟で検察・警察が「捜査に違法はなかった」「過失はなかった」と主張する例は少なくない。最近では布川事件、東住吉事件、松橋事件などもそうで、湖東記念病院事件でも国はそう主張している。だが、「刑事裁判で無罪が確定しているのに、国賠訴訟で『こいつが犯人だ』と主張をするのは前代未聞」と井戸弁護士は言う。

「（県警は）無罪判決をした大津地裁や、有罪立証をせず無罪判決に控訴しなかった大津地検に喧嘩を売っているのです。（西山さんは）ようやく平穏な生活を送り出したのに、またこういうことで精神的に不安定になるのではないかと心配になります」

「冤罪を生み出した当事者が真摯に反省し、原因を究明して実務の改善をしないと冤罪は繰り返されるでしょう。今回の主張は、改善どころか反省もしていない。これでは冤罪はなくなりません。滋賀県ではまだまだ冤罪が作り出されるのではないか」

●冤罪を検証する第三者機関、冤罪に加担する犯罪報道の改革を

だが、冤罪を反省しない体質は滋賀県警だけではない。今回のように書面で犯人視の主張はしなくても、冤罪に関わった警察官や検察官が犯人視の発言をする例はいくつもある。

九月一六日付『朝日新聞』WEB版によると、東住吉事件の冤罪被害者・青木惠子さんは同日開かれた国賠訴訟の口頭弁論で「『娘殺しの母親』の汚名を着せられたのに、国や大阪府からは謝罪もない」と訴えた。青木さんの取調べを担当した元刑事は今年二月の弁論で、「今でも犯人だと思いますか」と問われ、「思います」と答えたという。

私は、布川事件の桜井昌司さんが二〇一五年六月、取調べの一部録音・録画など刑事訴訟法「改正」法案をめぐる衆議院法務委員会の参考人質疑で、こう述べたのを思い出した。

「検察庁は今でも桜井昌司と杉山卓男を犯人だと断言しています。何も変わらないと公言しているんですね。私は長く刑務所にいていろんな犯罪者と仲良くしてきましたけれども、反省しない人は再犯する。反省して悪かったと思う人は再犯しませんけれども、警察も検察も何も反省しないのに、冤罪を作らないなんてあり得ないじゃないですか」

再審、刑事裁判で無罪が確定しても、警察・検察は「当時の捜査に問題はなかった」と形式的な談話を発表するだけで、反省も謝罪もしない。「問題があった」からこそ、無実の人を長期間、獄に閉じ込める重大な人権侵害を起こしたのに、その原因を調べようともしない。そうして、冤罪を繰り返してきた。まさに、桜井さんが指摘した通りだ。

一〇月日付『朝日』は、《滋賀県警　冤罪の上塗り検証せよ》と題した社説で、《そもそも、冤罪を生んだことを反省し、なぜ間違いを犯してしまったかを、無罪判決後にきちんと検証してこなかったことが、今回の事態を招いたといえる》と指摘した。

だが、そんな対応を許してきた原因の一つに、メディアの報道姿勢がある。再審無罪判決が出ても、多くの場合、「よかった、よかった」と冤罪被害者の喜びを伝えるだけで、なぜそんな冤罪が生まれたのか、裁判も含め検証する報道はほとんど行われてこなかった。

その理由は、メディア自身が事件発生当時、警察・検察情報に依存した犯人視報道を繰り広げ、冤罪に加担してきたからだ。捜査の誤りを掘り下げれば、本来の役割である権力チェックを怠り、警察情報を鵜呑みにした自らの当時の報道も問い直すよう迫られる。

日弁連は、繰り返される冤罪をなくすためには、個々の事件を掘り下げて調査し、冤罪の原因を究明して、改革を提言できる独立した第三者機関（仮称・えん罪原因調査究明委員会）を、国会または内閣に設置することが必要――と提言してきた。

『信濃毎日新聞』九月三〇日付社説は《過去の冤罪事件でも、検証はなおざりにされてきた。当事者の警察や検察に任せられないことはもはや明らかだ。捜査機関や裁判所から独立して冤罪の究明にあたる権限を持った第三者委員会を設けることが欠かせない》と述べた。そうした機関を設けるには世論の高まりが必要だ。それにはメディアが冤罪加担報道を反省し、警察情報に依存した犯罪報道の改革に動くことが出発点になる。

「任期中の改憲」へ動き出した岸田首相
――「自・公」＋「維新・国民」で勢いを増す〈壊憲〉潮流（一一月一七日）

自民党の絶対安定多数という悪夢のような衆院選（一〇月三一日）から二週間余。与党勝利に加え、維新（日本維新の会）躍進というもう一つの悪夢で心配したことが早くも現実化しつつある。「憲法改正」と称し、平和憲法を破壊する〈壊憲〉の動きだ。維新は国民（国民民主党）を仲間に引きずり込み、〈壊憲〉の主導権を握ろうと策動。自民党も負けじと動き出し、党内右派にこびた岸田文雄首相が「改憲への意欲」を語り始めた。その先にあるのは、「自・公」の与党に「維新・国民」を加えた四党による新たな「壊憲連合」の形成だ。もし来夏の参院選で四党「壊憲連合」が勝てば、憲法は風前の灯となる。壊憲を許さない市民と野党の共闘――「反壊憲大連合」の結成に向けて動き出す時が来た。

●維新と国民民主が「改憲論議で共闘」模索

一一月一〇日付の各紙朝刊三～四面（政治面）に次のような見出しの記事が掲載された。

《維新、国民民主と連携／法案提出や改憲論議で》（『朝日新聞』三面）

《国民「立共社」と決別／維新と連携／憲法審、毎週開催要求へ》（『読売新聞』四面）

止めよう！改憲発議―この憲法で未来をつくる11.3国会前大行動
（2018年、写真提供＝ムキンポさん）

《維新・国民「改憲論議を加速」／国会対策、法案提出も連携》（『東京新聞』三面）

各紙で記事の力点は少し異なるが、概ね「維新と国民民主の幹事長、国対委員長が九日、衆院選後初めて国会内で会談し、衆参両院の憲法審査会の毎週開催を各党に求めることや今後の国会対応で連携を進めることなどで一致した」という内容だ。『朝日』は《衆院選で野党第二党になった日本維新の会が存在感を発揮しようとしている》と指摘、『読売』は国民が《野党共闘と決別し、独自路線に踏み出した》と述べ、『東京』は、衆院選で議席を増やした両党が《「第三極」としての存在感を示す狙いがある》と強調した。

二日後の一二日付『読売』には、《自民　改憲へ維新接近／消極姿勢の公明けん制》という記事が四面トップで掲載された。九日夜、自民党の茂木敏充幹事長が維新の馬場伸幸幹事長と会食し、《国会で連携して改憲論議を進める方針を確認した》という記事だ。自民党は国民にも触手を伸ばす。自民党憲法改正推進本部の衛藤征士郎本部長が八日、国民の玉木雄一郎代表に電話して改憲論議で協力を要請、《玉木氏は「憲法の議論はどんどん進めなければいけない」と応じた》という。

壊憲に向けて旗を振る『読売』は衆院選後、「改憲」の動きを大きく取り上げている。憲法公布七五年を迎えた一一月三日付では、四面トップ《衆院　改憲勢力4分の3に／維新の議席大幅増／きょう公布75年》の見出しで、次のような記事を掲載した。

《自民、公明両党と憲法改正に前向きな日本維新の会、国民民主党などの改憲勢力は衆院選で352議席となり、衆院の4分の3を占めた。改憲勢力は衆参両院で改憲の国会発議に必要な三分の二を維持しており、岸田政権で改憲論議が本格的に進むのか注目される》

この記事には《改憲の国民投票「参院選同時に」／維新・松井代表》という小見出しの気になる記事も付け足されていた。維新の松井一郎代表が二日、記者会見し、《来年夏の参院選までに国会で憲法改正案をまとめ、参院選と同時に国民投票を実施すべきだとの考えを示した》という内容。さまざまな争点が問われる国政選挙と憲法改正をめぐる国民投票を一緒くたにやってしまえ、という極めて乱暴な提案だが、今回の選挙結果を踏まえれば、まんざら荒唐無稽とも言い切れないところに松井発言の怖さがある。

●「任期中の改憲」に向けて動き出した岸田首相

では、岸田文雄首相自身のスタンスはどうか。

岸田首相は、本来「自民党のリベラルの牙城」(今もそんな勢力があるとすればだが)とされてきた宏池会の領袖だ。その点で、イケイケの壊憲派である安倍晋三元首相とは立場が違うはずだった。その岸田氏が、安倍元首相の後押しを受けて総裁・総理になった。

総裁選を経た一〇月の所信表明演説では、改憲について「与野党が建設的に議論し、国民的議論を積極的に深めることを期待する」と述べたのにとどまっていた。それが、衆院選投開票翌日の一日の記者会見では、一歩踏み込んでこう述べた。

「党是である憲法改正に向け、精力的に取り組んでいく。与野党の枠を超え、憲法改正の発議に必要な国会での三分の二以上の賛成を得られるよう、議論を深めていく。国民の理解を得られるための活動もしっかり行っていく」

一〇月の所信表明に比べ、明らかに前のめりの発言だ。自民党は衆院選で「憲法改正」を公約の柱の一つとし、安倍政権当時にまとめた自民党改憲案(緊急事態条項、自衛隊明記、参院合区解消、教育充実)を掲げて、絶対安定多数を確保した。加えて、安倍政権以来「改憲反対」を掲げてきた立憲民主党と共産党が大幅に議席を減らし、反対に「改憲」に積極的な維新が躍進した。そうした選挙結果を意識した「改憲推進」発言だろうか。

さらに、第二次岸田政権が発足した一〇日の記者会見では、「憲法改正」への具体的な取り組みを問われ、いっそう明確に「改憲の意欲」を語った。

「新しい内閣がスタートしたことを受け、また今回の衆院選の結果を受けたうえで、憲法改正についてしっかりと取り組んでいかないといけない。こうした声は党内にも高まっていると受けとめている」

「衆院選の結果を踏まえ、党内の体制を強化するとともに、国民的議論のさらなる喚起と国会における精力的な議論を進めるよう（党内に）指示した」

「国会の議論と、国民の皆さんの憲法改正に対する理解。この二つは車の両輪。この両方がそろわないと憲法改正は実現しない。ともにしっかりと進めていかなければならないと思っている」

『読売』が一二日付で報じた茂木幹事長や衛藤・憲法改正推進本部長による他党への働きかけは、岸田首相の「指示」によるものだったのか。だとすれば、岸田首相はいよいよ「任期中の改憲」に向けて動き出したということになる。

こうした動きのバックには、恐らく政権の後ろ盾となった安倍元首相がいる。自民党最大派閥の細田派（清和政策研究会、九三人）は一一日に議員総会を開き、安倍元首相の派閥復帰と会長就任を決めた。安倍新会長は就任あいさつで、「憲法改正は立党以来の党是だ。この議論の先頭に立とうではないか」と熱っぽく呼びかけたという。

●不必要なだけでなく、危険な「緊急事態要綱」

衆院選からわずか二週間足らずで急速に動き出した〈壊憲〉の歯車。しかし、選挙ではほとんど選挙の争点にはなっていなかった。長引くコロナ禍で、市民はそんなことを望んでも求めてもいない。『読売』が行なった世論調査でも、「今後、岸田内閣に、優先して取り組んでほしい課題」について聞くと、次のような答（複数回答）が返ってきた（三日付）。

①景気や雇用九一％、②年金など社会保障八〇％、③新型コロナ対策七九％、④環境やエネルギー七四％、⑤財政再建、少子化対策七一％、⑦外交や安全保障七〇％、⑧地方の活性化六八％、⑨政治とカネ五八％、⑩憲法改正二九％

今、岸田政権が取り組むべき緊急課題は山ほどある。真っ先に、非正規労働者を中心にコロナ禍で奪われた雇用と収入の確保、生活の保障。そして、後手後手に回ってきたコロナの再流行に備える医療対策だ。「憲法改正」など、次の次のそのまた次、でもない。

それを無理やり「優先課題」にでっち上げようとする自民党は、「コロナ対策がうまくいかないのは憲法に緊急事態条項がないからだ」などと言い、自分たちのコロナ対策の失敗を逆手に取って壊憲の口実に使おうと躍起になっている。

一三日付『読売』は一面に《緊急事態条項の創設優先／自民・茂木氏／改憲論議を加速》の三段見出しで茂木自民党幹事長のインタビュー記事を掲載した。茂木幹事長は「新型コロナウイルス禍を考えると、緊急事態に対する切迫感は高まっている」として、《緊急時に政府の権限を強化する「緊急事態条項」の創設を優先的に目指す方針を示した》という。

『読売』の提灯記事と笑って済ませるわけにはいかない。自民党は今やコロナ禍を悪用し、「緊急事態条項」を突破口に、「悲願」の壊憲に突き進もうとしているのだ。

だが、安倍・菅義偉政権がコロナ対策に失敗したのは、緊急事態条項がなかったためではない。長年の粗末な医療政策で感染症対策も含めた医療体制の整備（十分な病床や医療従事者の確保）に力を入れてこなかった。コロナ感染が広がっても「自粛」を呼びかけるばかりで「アベノマスク」など小手先の対応でお茶を濁そうとし、PCR検査には消極的で、緊急病棟と医療従事者の確保に力を入れず、感染しても入院どころか医師の診察・看護も受けられないような「重症患者の在宅放置」状態を生み出した。

これらは、緊急事態条項による強制措置、「私権制限」以前の問題であり、コロナ禍は政治・行政の怠慢、無策による政治災害としか言いようがない。

もし今、憲法に緊急事態条項が創設されたらどうなるのか。自民党改憲案では、緊急事態が生じたと政府が判断した場合、法律と同等の政令を内閣が制定できることになっている。これは、政府に法律制定権＝立法権を与え、基本的人権の制限も含めて国民主権・三権分立という本来の憲法秩序が停止される独裁政権の出現を意味する。

その悪しき前例が、麻生太郎前財務相が薦めるワイマール憲法下でヒトラー独裁政権の登場を許したことであり、大日本帝国憲法下で治安維持法改悪など緊急勅令が乱用されたことだ。日本国憲法は、そうした歴史の苦い教訓を踏まえ、緊急事態条項を削除した。

自民党の狙いは明らかだろう。コロナ対策を口実に緊急事態条項を創設し、併せて自衛隊を憲法に明記して九条を形骸化する。集団的自衛権の行使に加え、岸田首相も強調し始めた「敵基地攻撃能力」の保有も、緊急事態条項で強行突破される可能性がある。

衆院選から二週間余りで急速に動き出した〈壊憲〉工作は、重大な危険をはらんでいる。そのことに、衆院選で共闘した立憲民主党、共産党、社民党、れいわ新選組の野党四党は目を向けてほしい。そして、来夏の参院選に向けて、市民に「緊急事態条項」の危険性を訴え、〈壊憲〉を阻止する新たな野党共闘を市民と共に形成してほしい。

だれがウィシュマさんを殺したのか

——大日本帝国・特高警察を引き継ぐ入管体制を指宿弁護士が告発（一二月一五日）

二〇二一年三月六日、名古屋出入国在留管理局に収容されていたスリランカ人女性ウィシュマ・サンダマリさんが亡くなった。特に持病もなかったウィシュマさんが、なぜ三三歳という若さで命を失ったのか。無期限収容のストレスで食事が困難になり、飢餓状態に陥ったにも拘らず、治療も受けられずに見殺しにされた。遺族の代理人・指宿昭一弁護士は一一月、名古屋入管の責任者らを「未必の故意」による殺人容疑で名古屋地検に告発した。だが、〈殺人者〉は名古屋入管の担当者だけか。事件の真相＝深層には、大日本帝国の植民地支配を総括も反省もせず、特高警察を引き継いで外国人敵視を続ける入管体制がある、と指宿さんは憤る。一二月三日、都内で開かれた集会で指宿さんの講演を聞き、植民地支配の歴史に無自覚な戦後日本社会、私たち一人一人の意識が問われていると痛感した。

●収容のストレスで体調不良、食欲不振から飢餓状態に陥り、衰弱死

この集会は、私も参加する「壊憲ＮＯ！96条改悪反対連絡会議」が呼びかけ、東京・水道橋で開かれた。指宿さんは「ウィシュマさんの殺害の真相究明と技能実習生制度の廃止に向けて」と題し、約九〇分にわたっ

国家権力のウィシュマさん殺害糾弾！
技能実習生制度の廃止を求める12.3労働者
ウィシュマさんの殺害の真相究明と技能実習生制度の廃止にむけ
壊憲NO!９６条改悪反対連絡会議

発言する指宿弁護士（壊憲NO！96条改悪反対連絡会議）

て熱弁を揮い、日本の入管体制を告発した。以下、この講演をもとに、ウィシュマさん事件と入管体制・入管政策の問題点を考えてみたい。

ウィシュマさんは二〇一七年六月、日本語学校の留学生として来日した。ところが、同居男性からDVを受けて学校に通えなくなり、一八年六月、日本語学校から除籍され、一九年一月に在留資格を喪失した。そうして二〇年八月、DVの相談をするため警察に駆け込んだところ、オーバーステイとして逮捕され、翌日から名古屋入管に無期限収容された。

一〇月、元同居男性から「スリランカに帰ったら探し出して罰を与える」という手紙が来た。帰国が怖くなった彼女は一二月中旬ごろ、「在留希望」に転じた。すると入管職員の対応は急に厳しくなり、そのストレスから食欲不振・体重低下が始まった。

二一年一月、支援者が身元引受人になって仮放免許可申請を行なったが、却下。一月中旬以降、嘔吐、食欲不振、体のしびれなどの体調不良を訴えるようになる。入管収容時に八五キロだった体重は七二キロに激減した。二月一五日、尿検査で「飢餓状態」を示す「ケトン体＋三」の異常数値が出た。しかし、点滴などの必要な治療も受けられず、放置された。

やがてベッドの上でも身動きがとれないほど衰弱が進んだが、三月四日に精神科を受診させられた以外、外部病院で診察を受けさせてもらえなかった。精神科の医師は「仮放免すれば良くなる」と言ったが、入管は「詐病の疑いがある」として応じなかった。

三月五日、ウィシュマさんは脱力状態に陥った。だが、入管は救急車も呼ばず放置。翌六日、ようやく病院に搬送された時、ウィシュマさんはすでに死亡していた。この時、体重は約六三キロまで落ち、収容された時より二二キロも激減していた。

●真相究明に抵抗し、ビデオなどの情報開示を拒む入管

ウィシュマさんはなぜ亡くなったのか——真相を知りたいと来日した遺族の妹二人と指宿弁護士らは入管に対し、ウィシュマさんの「独房」に設置された監視カメラ映像の全面開示を求めた。しかし、名古屋入管と入管庁は「保安上の理由」と称して開示を拒否した。

新聞・テレビも少しずつ報じ始め、「ウィシュマさんの死」を知った市民の間で入管に対する批判の声が高まった。八月には「ウィシュマさんの死亡事件の真相解明を求める学生、市民の会」が結成され、監視カ

メラのビデオ開示などを求める署名運動も始まった。

高まる批判に、入管はようやくビデオの一部開示を認めた。しかし、ビデオ映像は記録が残る三月六日までの一三日分を入管庁が二時間に編集した部分開示。しかも弁護士の立ち会いを認めず、遺族の妹二人と通訳者だけに見せる、というものだった。

これについて指宿さんは「無責任で非人道的な対応」と怒る。指宿さんは裁判所に証拠保全を申し立て、後に映像の一部を見たが、「とても残酷な映像だった」と言う。

ベッドから落ち、何度助けを求めても無視される様子。鼻から飲み物をこぼしたウィシュマさんを見て、「鼻から牛乳」などと笑いものにする職員たち。死の前日「あー。あー」と繰り返す泣き声は、「まさに死んでいく人の声でした」と指宿さん。姉の悲惨な映像にショックを受けた妹二人は途中で見ていられなくなり、一時間一〇分ほどで出てきた。

入管庁は八月一〇日、ウィシュマさん死亡事件に関する「調査報告書」を発表。上川陽子法相は会見で「送還することに過度にとらわれるあまり、収容施設として、人ひとりをお預かりしているという意識が少しおろそかになっていたのではないか」とコメントした。

「少し、ではないでしょう」と指宿さんは報告書の問題点を列挙した。①尿検査で飢餓状態に陥ったのに治療をせず死なせてしまった責任を回避、②三月五、六日に救急搬送しなかった責任を回避、③収容中の虐待についての責任を回避、④仮放免不許可を、帰国意思を変えさせるための拷問として使ったこと、⑤DV

被害者として扱わなかった責任を回避――。

報告書が掲げた「改革」方針も、問題を「医療問題」に矮小化するなど欺瞞そのものであり、「このままでは第二、第三のウィシュマさん事件が起きる」と指宿さんは訴えた。実際、全国の入管施設内では〇七年以来、一七人もの死亡者が出ているという。

●侵略戦争を反省せず、特高を引き継いだ日本の入管体制

こうした入管の外国人敵視・管理政策の根源は何か。指宿さんは、戦前の大日本帝国による侵略・植民地支配にまで遡って、日本の入管政策の根本的問題に迫った。

植民地における苛烈な支配、皇民化政策、安価な労働力の搾取。内地では植民地出身者を恐れ、徹底して管理・支配しつつ、一方で民族排外主義を煽り、労働者・農民を侵略戦争に動員した。「これは日本の民族的『原罪』です」と指宿さんは言う。

さらに敗戦後、日本政府は植民地出身者に国籍選択権を与えず、一方的に日本国籍を奪い、「外国人」敵視政策を続けた。それが「特高警察を引き継いだ入管体制」だ。

日本は侵略戦争を行なった国の責任をあいまい化し、総括も反省もせず、「内なる差別＝民族的原罪」を温存した。労働運動も市民運動も、それと闘ってこなかった。その結果、植民地支配・差別の歴史に無自覚で、植民地出身者や第三世界の人々が置かれた地位に対しても無自覚になり、国家による民族差別・抑圧と

闘わない市民の意識が形作られた。

外国人を敵視し、徹底して管理する入管政策が維持され続けている原因。「それは、日本の国家体制の基本が戦前と変わっていないことにある」と指宿さんは断言した。

では、日本の入管政策を変えていくためにはどうすればよいのか。指宿さんは第一に入管収容の問題点を挙げ、その改革を訴えた。①逃亡の恐れがなくても収容する「全件収容主義」。拷問としての長期収容、無期限収容、②裁判所など第三者のチェックのない収容により、入管の独善的体質を助長　③入管業務の中で人間性を殺す「教育」が行われ、職員に人としての当然の認識・意識が欠けていること、などなど。

「そうして行われているのが、外国人嫌悪、ゼノフォビアを背景にした徹底した管理・抑圧です。入管庁の調査報告書は、ウィシュマさんに対して不適切な発言をした職員を擁護した。しかし、これはヘイトスピーチであり、それを免罪することは絶対に許せません」

人の命よりも強制送還を重視し、外国人を敵視、管理することを重視する制度。五月一七日に名古屋入管局長と面会した時、ウィシュマさんの妹ワヨミさんはこう言ったという

「お姉さんがスリランカ人で、貧しい国の人だから、このようなことをするのですか。アメリカ人でも同じことをしましたか」

●日本社会のありようを照らし出すウィシュマさんの死

だが、こうした入管体制を変革する闘いは二〇二一年、大きく進んだ、と指宿さんは言う。二月から五月にかけ、入管法改悪を阻止した闘い。ウィシュマさん事件の真相解明の闘いでは、監視ビデオの全面開示などを求める署名が九万三〇〇〇筆に達し、九月二五日には全国九か所で四五〇人が参加して集会・デモが行われた。また一二月一一日には、「入管の民族差別・人権侵害と闘う全国市民連合」がオンライン集会で結成された。

講演では、技能実習生制度など、外国人労働者・移民政策についてもさまざまな問題点が指摘され、指宿さんは「現代の奴隷制度、人身取引制度である技能実習生制度は国内外からの批判を受け、維持できなくなっている」と話した

「日本が外国人労働者を受け入れていこうとするなら、これまでの移民政策を見直し、多文化共生政策を行なう必要がある。しかし、日本社会に根強く存在する外国人嫌悪、外国人敵視の思想が、多文化共生政策を骨抜きにし、変質させようとしている。その象徴的な表れが、送還忌避罪の創設、難民申請者の送還を可能とする入管法改悪です」

この入管法改悪は二一年、いったん阻止されたが、法務省は微修正を加えて再提出を目論んでおり、二二年はそれとの闘いが大きな課題になる。

講演を聞いて胸に刺さったのは、ウィシュマさんの死や外国人労働者をめぐるさまざまな問題が、実は私

たち日本社会のありようを照らし出す鏡ではないか、との思いだった。

天皇制を頂点とした侵略戦争推進システムが、政治、経済、司法、教育、メディアなどあらゆる分野で戦後もそのまま温存され、アジア侵略・植民地支配・戦争に対して「加害責任を取らない国」であり続けた。それが、敗戦から七六年、アベ政治に象徴される「何をしても責任を取らない・問われない」政治が続く根本的な原因となっている。

講演後の質疑で、入管体制の報道に消極的なメディアについて指宿さんはこう語った。

「メディアもまた日本社会の一員として、侵略戦争を総括しないできた。記者たちは『不法滞在』の言葉に縛られ、入管の実態を知ろうともしないでいます。法務省・入管のリークを垂れ流す記者が各社にいて、報道がコントロールされている。ただ、ウィシュマさんの事件をきっかけに、その壁が少しずつ突破されてきました」

侵略戦争・植民地支配に全面加担したメディアの責任も問い直すことが迫られている。あらためて問う――ウィシュマさんを殺したのはだれか。それは私たちだ。

注1―入管法については、二〇二一年の通常国会に提出された旧法案は廃案となり、二〇二二年中の再提出はなかった。
しかし、政府は、二〇二三年通常国会に入管難民法の改正案を再提出する方針を固めた。
注2―ウィシュマさんの遺族は、二〇二二年三月四日名古屋地裁に、死亡は入管が違法な収容を継続し、必要な医療を提

供しなかったためだとして、国家賠償請求訴訟を提起。訴訟が進行する中で、国側から、生前のウィシュマさんの様子をおさめた監視カメラ映像の二九五時間分のうち約五時間分が証拠提出された。

名古屋地検は二〇二三年六月に「死因や死亡に至る具体的な経緯を特定できなかった」などとして、不起訴とした。遺族側は処分を不服として八月に検察審査会に審査を申立て。名古屋第一検察審査会は一二月二六日、当時の局長ら職員一三人を不起訴（嫌疑なし）とした名古屋地検の処分について「不起訴不当」とする議決書を公表した。

2022

ジャーナリズムを放棄した「監視対象との癒着」宣言

――『読売新聞』が大阪府（＝維新）と「包括連携協定」締結（一月一七日）

二〇二一年一二月二七日、読売新聞大阪本社（柴田岳社長）と大阪府（吉村洋文知事）が「包括連携協定」を結んだ。大阪府のHPによると、包括連携協定は「民間企業との協働・コラボレーションにより、社会課題の解決を図る新たな公民連携のモデル」だそうだ。しかし、報道機関にとって大阪府は重要な取材対象であり、監視の対象。新聞社がその取材・監視対象と協定を結んで「協働・コラボレーション」する？ これはどう言い繕おうと、ジャーナリズム・報道機関であることの放棄宣言だ。大阪府は吉村知事が副代表を務める「日本維新の会」の本拠地だ。昨年の衆議院選挙で大きく議席を増やした後、「憲法改正」に向けて動きを強める維新。その牙城・大阪府と読売の「包括連携」は何を意味するのか。

●報道機関としては初めての包括連携協定

《大阪本社と府／包括連携協定》――一二月二八日『読売』朝刊第三社会面最下段に、こんな見出しのベタ記事が掲載された。記事の概略はこうだ。

《読売新聞大阪本社は二七日、地域の活性化や府民サービスの向上を目的とした包括連携協定を大阪府と

結んだ。「教育・人材育成」「安全・安心」など八分野で連携し、活字文化の推進や災害対応での協力を進める》

《具体的な内容は、▽府内の小中学校でのSDGs（持続可能な開発目標）学習に記者経験者を派遣▽「読む・書く・話す」力を伸ばす府主催のセミナーに協力▽児童福祉施設へ『読売KODOMO新聞』を寄贈▽大規模災害時に避難所に新聞を提供――など》

二七日に行われた協定の締結式で、吉村知事は「これまでも読売新聞販売店に地域の見守り活動などをしていただいている。さらに多くの分野で連携していく」と述べた。また、読売（大阪本社）の柴田社長は「地域への貢献は読者に支えられている新聞社にとって大切な取り組みの一つ。連携協定を機に一層貢献したい」と話した、という。

包括連携協定は、大阪府がさまざまな企業・法人などと結んできた。昨年末までにコンビニや食品、運輸、銀行、生保、大学などと計五四件の協定を結んでいるが、報道機関では読売が初めてだ。協定書には、「この協定の締結により、読売新聞は報道機関としての大阪府への取材、報道に付随する活動に一切の制限が生じないこと、また大阪府による読売新聞社への優先的な取扱いがないことを相互に確認する」と記載されている。

●「読売新聞はそうそうやわな会社ではない」？

全国一の部数を誇る大手新聞社が、重要な取材対象であり、監視対象である行政機関と包括的な連携協定を結ぶ。そのことに問題はないのか。協定の締結式後開かれた記者会見では、その問題に質問が集中した。「Ｙａｈｏｏ！ニュース」などに掲載されたジャーナリスト立岩陽一郎氏（元ＮＨＫ記者）のレポートから主なやりとりを紹介しよう。

――取材する側とされる側の連携ということで、権力監視の役割を果たせるのか。報道機関としての中立性はどのように保てると考えるか。

柴田社長「取材報道とは一切関係のない協定となっている。大阪府は読売新聞に対して取材、報道、情報に関しては別扱いは一切しない。読売新聞は協定により取材報道の制限は一切受けない。これまで通り、事実に基づいた公正な報道と責任ある論評を通じて、行政を監視していく。報道で何か協力するということではない」

――協定に至った経緯、知事と報道機関との距離について。

吉村知事「今年度当初から協議を重ねてきた。取材と報道に関しては一切関係ない。取材というのは表現の自由、憲法二一条に関するもの。国民・府民の知る権利があって取材の権利・自由がある。行政は監視される立場にあり、それが変わることは微塵もない」

――協定の「地域活性化」の項目に「二〇二五年万博開催への協力」が入っている。万博開催を検証する役割の報道機関が「協力」となると、自制が働く懸念がある。

柴田社長「読売新聞はそうそうやわな会社ではない。読売新聞の記者行動規範に沿って公正にやる。万博に関しても問題点はきちんと指摘し、ここは伸ばしていけばよいと言う点は提案する。そういう形の是々非々の報道姿勢を主体的に貫いていくつもり」

――記者が萎縮しないと言えるのか。

柴田社長「萎縮しないのかと言われれば、萎縮しないでしょうとしか言いようがない。そんな簡単に忖度していうことばかり聞く記者ばかりじゃありませんから、きっちりと厳しい目で事実に基づいて報道していくことになる」

●報道機関のチェック役割を放棄する「大阪万博への協力」

協定書別紙の「今後の主な取り組み」を読んで、気になることがいくつもあった。

一つは、府の職員向けセミナーなどに記者経験者を講師として派遣し、情報収集力などの向上を支援する、としていること。だが、「憲法改正」を社論にする読売社員を公式に講師として招くことに、憲法を順守すべき行政機関として問題はないのか。教材に「改憲」絡みの読売記事を使われた場合、セミナーの公正は保てるのか。それでなくても「改憲推進知事」の下、そうしたセミナー参加は職員への精神的圧力になるのではないか。

二つ目は情報発信への協力。読売が折り込みで無償配布している生活情報誌などで府政情報発信に協力する、という。これは読売以外のメディアにとっては不公平な情報提供であり、結果的に府が読売の販売促進に協力させられることを意味するのではないか。

三つ目は、二〇二五年万博開催への協力。大阪万博については賛否両論があり、財政難の中で膨らみ続ける会場建設費、遅れる海外パビリオン誘致など、次々と問題点が出てきている。その万博に、「開催に向けた協力」を明記した協定のもとで、記者たちは本当に問題点を検証し、指摘できるのか。また記者がそうした記事を書いたとしても、デスクや上層部はそれを掲載するか。柴田社長は「やわな会社ではない」と言ったが、読売がオフィシャルパートナーとなった東京五輪で、数々の疑惑や不祥事を徹底的に無視し、礼賛報道に終始した「実績」を思い起こせば、「是々非々の報道姿勢」など絵空事でしかない。

●ジャーナリスト有志の抗議声明に五万人を超す賛同署名

協定締結には、全国のジャーナリスト有志が直ちに抗議声明を出し、賛同署名を募った。

《報道機関が公権力と領域・分野を横断して「包括的」な協力関係を結ぶのは極めて異例な事態であるだけでなく、取材される側の権力と取材する側の報道機関の「一体化」は知る権利を歪め、民主主義を危うくする行為に他なりません。私たちジャーナリスト有志は今回の包括連携協定の締結に抗議し、速やかに協定を解消することを求めます》

声明には、ジャーナリストなどを中心にすでに五万二〇〇〇人を超す賛同署名が集まっている。問題は一新聞社と一自治体の関係にとどまらない。長く続いた安倍晋三政権下で権力による報道干渉・言論統制、メディア側の自主規制が強まり、メディアの権力監視機能が著しく低下した。そんな中、全国一の部数を誇る読売が、「維新」副代表がトップを務める大阪府と協定まで結んで協力関係を強めることの影響は計り知れない。

他の新聞社やテレビ局も、府との「協力関係」を求めてこうした連携協定を結ぼうとするかもしれない。そうなれば、今でも垂れ流しになっている吉村知事の記者会見報道など、それこそ「本日の大本営発表」と化すだろう。その一方で、メディアに対する市民の信頼は失われ、新聞は報道機関ではなく、ただの情報産業としか見られなくなってしまう。

読売も加盟する日本新聞協会の「新聞倫理綱領」には、「公正な言論のために独立を確保する。あらゆる勢力からの干渉を排するとともに、利用されないよう自戒しなければならない」と明記されている。今回の協定締結は、公正な言論のためにある「独立」を放棄して自ら「干渉」を招き、「利用」しやすくする「ジャーナリズム放棄宣言」に等しい。

●失われた「反戦・反差別・反権力」の伝統

「大阪読売」は、かつて反戦・反差別・反権力の報道で一時代を築いた歴史を持つ。七〇～八〇年代、黒田清社会部長の時代には、大阪府警汚職、警察官ネコババ事件、誘拐報道、武器輸出などで次々とスクープを放った。取材記者の動きも記事の大きな要素として書く報道は新しい新聞記事スタイルとして新聞を読者の身近なものにし、大きな共感を得た。

その手法を全面的に生かしたのが、七五年に始まり約一〇年間連載、単行本全二〇巻に及んだ『新聞記者が語り継ぐ戦争』シリーズだ。七三年に読売新聞社（東京）に入り、記者活動を始めた私にとって、第一巻『終戦前後』（七六年）から第二〇巻『戦犯』（八五年）まで愛読した二〇冊の本は、取材活動の生きた教科書のような存在であり、今も大切にしている。

《この「戦争」シリーズは戦記でも戦史でもない。われわれ現代の新聞記者が、自分たちの周辺にある戦争とのかかわりを書き続けることによって、戦争という得体の知れない者の実態に近づきたい、そして同時に、戦争というものが被害者にとってはもちろん、加害者にとってもいかに悲惨なものであるか、その影がいかに長く後に残るものであるかを知ってほしいとの気持ちで続けてきたものである》（第二〇巻・黒田部長のあとがき）

大阪読売は、メディアがタブーにしてきた部落差別の問題も正面から取り上げた。読者の手紙をもとに記者が現場に足を運ぶ。紙面つくりの最大の特徴は「記者と読者がともに」だった。しかし、「黒田軍団」と呼ばれた大阪社会部はその後、渡邉恒雄氏ら「東京読売」の人事介入によって解体され、黒田部長も八七年に会社を追われて黒田軍団は壊滅した。

読売はその後、全社的に右傾化を強め、九四年には「憲法改正試案」を出して、九条を標的にした日本の壊憲の流れを加速させる。それ以降、読売社内では憲法はもとより、紙面作りについて自由に議論する雰囲気も急速に失われた。そうして渡邊氏ら上層部の意向を忖度する「やわな記者」たちが次々と幹部に取り立てられるようになっていった。

私は二〇〇三年に読売を中途退社したが、維新との野合と言うべき今回の協定を知って、「とうとうここまで来たか」と思った。安倍政権下で政府広報紙化を強めた読売は、今度は「自民党より右」の右翼政党と手を結び、「壊憲連合」の機関誌化へと動き出した。読者から遠く離れて権力にすり寄る売は、いったいどこに向かっているのだろうか。

差別発言・問題発言を「石原節」で容認したメディア
——ヘイトクライムを助長した記憶に刻むべき石原慎太郎暴言録（二月一一日）

数々の暴言、差別発言をまき散らし、ヘイトクライムを助長・許容する暴力的風潮を広げた元東京都知事・作家の石原慎太郎氏が二月一日、死去した。韓国のメディアが「妄言製造機が死去」と報じた石原氏。その差別発言、問題発言は、どの一件を取り上げても、国会議員や都知事などの公職から追放されるべき悪質極まりないものだった。しかし、新聞・テレビなど大手メディアはそれを批判的に報道しないだけでなく、「歯に衣着せぬ発言」などと評価し、ネトウヨなど差別主義者たちを喜ばせてきた。そして、それを批判的に検証すべき訃報の報道でも、数多の暴言を「石原節」で片づけたばかりか、《やはりまぶしい太陽だった。夕日が沈む》（『東京新聞』「筆洗」）などと賛美した。いま一度、「石原暴言録」を思い起こし、彼が日本社会に遺した傷痕を記憶に刻みつけておきたい。

●賛美一色、「天皇崩御」報道を想起させたNHKの訃報

「石原慎太郎氏が死去　各界から悼む声」——二月一日夜のNHKニュースが流した訃報は、一九八九年の「天皇崩御」報道を思い出させる賛美一色の気持ち悪いものだった。

訃報は「重責を担い、大きな足跡を残された。さびしい限り」という岸田文雄首相の談話に始まって、安倍晋三、野田佳彦氏ら元首相、亀井静香、二階俊博氏ら元自民党幹部、松井一郎氏ら維新の会幹部、猪瀬直樹、小池百合子ら元・現都知事、その他、JOCの山下泰裕会長や映画監督の篠田正浩氏、俳優の舘ひろし氏らの「悼む声」を延々と流した。

「太陽が沈んだ。彼は現代の最高の知性だった」（亀井静香・自民党元幹事長）、「カリスマ性があり、時代を代表する政治家で言論人だった」（茂木敏充・自民党幹事長）、「さまざまな既成概念に挑戦し続けた政治家。批判を恐れず、言うべきことは言う姿勢で一貫していた」（安倍元首相）、「国士のように、この国の将来を考えていらっしゃった方なので、本当に残念だ」（野田元首相）、「東京から国を変えるとの強い信念のもと、都政を力強く牽引してこられました。強い思いを受け継ぎ、尽力していく決意です」（小池都知事）……

NHKニュース（WEB版）には計二一人の「悼む声」が再録されているが、どれもひたすら石原氏の「功績」を称え、最大級の褒め言葉で彼の死を惜しむものばかり。生前、彼がまき散らした差別発言や問題発言に言及する談話は一つも放送されなかった。

●差別、侮辱発言まで「歯に衣着せぬ発言」と容認した新聞

翌二日、各紙朝刊はいずれも一面準トップ、社会面トップで大きく報じ、政治面、文化面などにも関連記事を多数掲載した。各紙社会面は次のような見出しを掲げた。

『朝日新聞』――《石原都政　直言も放言も／「太陽族」流行語に／ディーゼル車規制　五輪招致活動／尖閣国有化を推進　反日感情招く／改憲　こだわり続けた末》

『読売新聞』――《都政13年　東京変えた／石原慎太郎さん／ディーゼル規制、マラソン、新銀行／強引な手法　功罪／「太陽の季節」嵐呼ぶ／創作意欲　晩年まで》

『毎日新聞』――《「石原節」物議醸す／尖閣、新銀行、混乱も／下積みなし文壇デビュー／「太陽の季節」「弟」「天才」／言葉に魅力／人生演じきった／大変残念》

『東京』――《硬軟巧み　慎太郎流／演じ続けた「ポピュリスト」／戦争取材が原点→総裁選落選→都政で存在感／「東京の都市構造変えた」／石原都政　大学統合では反発も》

各紙の報道トーンは、社会面トップ記事の次のようなリードに象徴される。

『朝日』――《大スターの兄で、作家で、政治家だった。（中略）数々の政策を実行した剛腕ぶりや歯に衣着せぬ発言は、時に物議を醸した》

『読売』――《「作家」と「政治家」の間を気ままに行き来し、（中略）歯に衣着せぬ物言いで斬新なアイデアを具現化する一方、禍根を残す施策や失言も多かった》

『毎日』――《「作家知事」としての抜群の知名度を生かして、国と対峙した（中略）一方で、歯に衣着せぬ発言は、しばしば波紋を広げた》

『東京』――《作家や政治家として、一時代を築いた（中略）独自施策を次々と打ち出す一方、タカ派の歯

に衣着せぬ「石原節」は何度も物議を醸した》

各紙共通のキーワードは、〈作家で、政治家で、歯に衣着せぬ発言で物議〉に集約される。問題なのは、暴言に対する「歯に衣着せぬ発言」というとらえ方だ。「歯に衣着せぬ」とは、普通「正直に本音を言う」といった意味で肯定的に使われる。だが、石原氏の数多の差別発言は、「正直に本音」で済まされるレベルの生易しいものではなかった。

●**記憶に刻むべき差別発言、問題発言**

私たちが記憶に刻むべき差別発言、問題発言は、それこそ「山ほど」ある。以下、ネット上に残された発言記録の中から主なものを拾い挙げてみる。

①レイシズム、外国人差別、歴史修正主義

▼「三国人、外国人が凶悪な犯罪を繰り返しており、大きな災害では騒擾事件すら想定される。警察の力に限りがあるので、皆さんに出動していただき、治安の維持も大きな目的として遂行してほしい」

（二〇〇〇年、陸上自衛隊観閲式で）

▼「（中国人の）民族的DNAを表示するような犯罪が蔓延することでやがて日本全体の資質が変えられていく恐れがなしとはしまい」（〇一年）

▼「（朝鮮植民地支配について）私たちは決して武力で侵犯したんじゃない。むしろ朝鮮半島の国々が分裂

してまとまらないから、彼らの総意で（中略）近代化著しい同じ顔色をした日本人に手助けを得ようということで、世界中が合意した中で行なわれた」（〇三年）

▼「（日本軍「従軍慰安婦」について）強制したことはない。ああいう貧しい時代には日本人だろうと韓国人だろうと売春は非常に利益のある商売で、貧しい人は決していやいやでなしに、あの商売を選んだ」（一二年）

②性差別、性的マイノリティ差別

▼「文明がもたらした最も悪しき有害なものはババアなんだそうだ。女性が生殖能力を失っても生きてるってのは、無駄で罪ですって。男は八〇、九〇歳でも生殖能力があるけれど、女は閉経してしまったら子供を生む能力はない。そんな人間が、きんさん、ぎんさんの年まで生きてるってのは、地球にとって非常に悪しき弊害だって」（〇一年）

▼「テレビなんかにも同性愛者が平気で出るでしょ。日本は野放図になり過ぎている。どこかやっぱり足りない感じがする。遺伝とかのせいでしょう。マイノリティで気の毒ですよ」（一〇年）

③水俣病患者侮辱、障害者差別

▼「（水俣病患者の抗議文について）これを書いたのはＩＱが低い人たちでしょう。補償金が目当ての偽患者もいる」（一九七七年）

▼「（重度障害者の療育施設を視察して）ああいう人ってのは、人格あるのかね。ショックを受けた。絶対よ

くならない。自分がだれだかわからない、人間として生まれてきたけれど、ああいう障害で、ああいう状態になって。ああいう問題って安楽死につながるんじゃないかという気がする」(九九年)

▼「(やまゆり園事件について)この間の障害者を一九人殺した相模原の事件、あれは僕、ある意味でわかるんですよ」(一六年)

▼「業病のALSに侵され自殺のための身動きも出来ぬ女性が尊厳死を願って相談した二人の医師が、薬を与え手助けしたことで、殺害容疑で起訴された」(二〇年)

④核武装その他の問題発言

▼「私は半分以上本気で、北朝鮮のミサイルが一発落ちてくれたらいいと思う」(〇〇年)、「北朝鮮のミサイルが日本に当たれば、長い目で見て良いことだろうと思った。日本は外界から刺激を受けない限り目覚めない国だからだ」(〇一年)

▼「(東日本大震災を受けて)日本人のアイデンティティは我欲。この津波を利用した我欲を一回洗い落とす必要がある。やっぱり天罰だと思う」(一一年)

▼「日本は核をもたなきゃだめですよ。持たない限り一人前には絶対扱われない。日本が生きていく道は軍事政権を作ること。そうでなければ、日本はどこかの属国になる。徴兵制もやったらよい」(一一年)

▼「(尖閣について)中国は日本の実効支配を崩すと言い始めたが、とんでもない話だ。このままでは危な

い。国が買い上げればいいが買い上げない。東京が尖閣を守る」（一二年）

●差別発言・暴言の山を「石原節」で済ませてよいのか

すさまじいレイシズム、女性蔑視、水俣病患者・重度障害者に対する無知丸出しの侮辱発言、朝鮮・中国を露骨に敵視した戦争挑発と核武装論……。彼の発言記録をネット検索し、書き写しているうちに、胸がむかむかしてきた。

メディアは彼が公人として行なったこのような問題発言をきちんと取り上げ、検証すべきだった。しかし、各紙とも問題発言のごく一部をピックアップして掲載しただけで、「日本を騒がせる暴走老人です」（一二年）といった、どうでもよい軽口と一緒くたに「石原節」でまとめ、「物議」「波紋」で済ませてしまった。

《慎太郎節　時に物議》（『読売』）、《石原節　物議醸す》（『毎日』）、《石原節　波紋》（東京）、《直言も放言も》（『朝日』）……。

『朝日』は、石原発言として五つの発言を取り上げたが、「三国人」発言、「津波は天罰」発言以外は東京五輪や芥川賞に関するどうということのない発言。『読売』は「慎太郎節」として八つの発言を掲載したが、これも「三国人」発言、「津波は天罰」発言を除くと、「裕次郎の兄でございます」といった選挙宣伝の類が中心だった。

こうしたメディアの報道姿勢を象徴するのが、二日付『東京』のコラム「筆洗」だ。

《首相を目指していたが、作家としての強烈な個性が邪魔をし、調和を重んじる自民党では浮いた存在にもなっていた。▼それでも丸くもならず、言いたいことを言い、書きたいことを書いた。人目と批判をおそれすぎる現在の日本を思えば、その人はやはりまぶしい太陽だった。夕日が沈む》――我が愛読する『東京新聞』よ、おまえもか。

公安警察の悪質なプライバシー侵害に損害賠償命令
——岐阜県警が住民運動を敵視・監視し、電力会社に個人情報提供（二月二七日）

公安警察が秘かに行っている〈市民監視〉の一端が二〇一四年、岐阜県大垣市で明るみに出た。風力発電施設の建設に反対する住民を監視し、収集した個人情報を電力会社の子会社に提供していたのだ。この監視・個人情報提供で人権を侵害された人たちが、岐阜県（県警）に損害賠償を求めた国家賠償請求訴訟の判決が二月二一日、岐阜地裁で言い渡された。判決は、情報収集に関しては「違法とまでは言えない」としたが、情報提供は「悪質」と違法性を認め、計二二〇万円の賠償支払いを命じた。警察が収集した情報を第三者に提供した行為が裁判で違法と認定されたのは初めてだ。住民運動を敵視し、税金を使って集めた情報を民間事業者に提供して運動を妨害する——そんなことが「不偏不党かつ公平中正を旨とする」（警察法二条）はずの警察活動に許されるはずがない。関西生コンや韓国サンケン労組支援運動に対する大弾圧など、労働運動にも公然と介入を強める公安警察。だが、それに警鐘を鳴らした判決に対するメディアの反応は鈍い。闇に包まれた公安の反人権的活動を暴き出し、その実態を市民に「情報提供」するのがメディアの使命なのだが……。

●『朝日新聞』が公安警察の「監視・情報提供」をスクープ

岐阜県警大垣署によるこの市民監視事件が明るみに出たのは二〇一四年七月二四日。同日付『朝日新聞』（名古屋本社版）が一面トップ《岐阜県警が個人情報漏洩／風力発電／反対派らの学歴・病歴》との見出しで、次のように報じた。

《岐阜県大垣市での風力発電施設建設をめぐり、同県警大垣署が事業者の中部電力子会社「シーテック」（名古屋市）に、反対住民の過去の活動や関係のない市民運動家、法律事務所の実名を挙げ、連携を警戒するよう助言したうえ、学歴または病歴、年齢など計六人の個人情報を洩らしていた。朝日新聞が入手した内部文書でわかった》

「もの言う」自由を守る会HPより。

社会面では、《企業肩入れ　警察に憤り》の見出しで、公安警察に監視されていた人たちの怒りの声を伝えた。権力チェック報道の手本にしたい見事なスクープだった。

当時、シーテック社（以下、シ社）は大垣市と関ヶ原町の山麓尾根伝いに風力発電施設一六基の建設を計画し、環境影響評価の手続きを進めていた。この計画に対し、地元の上鍛冶屋地区の住民の間から低周波による健康被害や土砂崩れ、生態系の破壊などを心配する声が出て、風力発電に関する勉強会などが開かれ、建設反対の声が高まっていた。

大垣署警備課は、この住民たちの動きを察知して監視を始めた。そのうえで一三年八月から一四年六月にかけて計四回、シ社幹部を呼び出し、大垣署内で情報を交換していた。その動かぬ証拠があった。シ社の担当者が残していた警察との協議の議事録だ。

●公安警察と電力会社が住民運動つぶしのための「情報交換」

『朝日』報道で自分たちの活動が公安警察に監視されていたことを知った上鍛冶屋地区自治会長・三輪唯夫さんや僧侶・松島勢至さんらは、裁判所にシ社の議事録の証拠保全を申し立て、問題の議事録を入手した。そこには大垣署警備課の幹部とシ社の担当者の間で行なわれた次のようなやりとり（一部要約）が記録されていた。

【警察】勉強会の主催者である三輪氏や松島氏らが風力発電に拘らず、自然に手を入れる行為自体に反対する人物であることを御存じか。

【シ社】地元の有力者からあいつらは何でも反対する共産党と呼ばれていると聞いている。

【警察】三輪氏らは活発に自然破壊反対運動などに参画し、「ぎふコラボ法律事務所」ともつながりを持っている。大垣市内には自然破壊につながることは敏感に反対する近藤ゆり子氏という人物がいるが、御存じか。六〇歳を過ぎているが、東京大学を中退しており、頭もいいし、しゃべりも上手であるから、このような人物とつながるとやっかいになる。このような人物と「ぎふコラボ」の連携により、大々的な市民運動へと展開すると御社の事業も進まないことになりかねない。大垣警察署としても回避したい行為であり、今後情報をやり取りし、平穏な大垣市を維持したいので協力をお願いする。

【シ社】当社としても今後、地元交渉を精力的に開始する予定であることから、いろいろな情報交換をお願いしたい。

――以上は一三年八月に行なわれた一回目の会合議事録の一部だが、同じような「情報交換」は一四年三月、五月、六月と『朝日』が七月に報道するまで定期的に続けられた。

▼二回目・シ社「交渉可能地区や役場等から話を進め、周囲を固めることにより上鍛治屋地区を孤立化させる。周りの地区から、なぜ賛成できないかの声が上がるよう仕向ける」

▼三回目・警察「今後、過激なメンバーが岐阜に応援に入ることが考えられる。身に危険を感じた場合は、直ぐに一一〇番してください」

▼四回目・警察「近藤氏が風車事業反対に乗り出しているのではないか。反原発・自然破壊禁止のメンバーを全国から呼び寄せることを懸念している」

議事録の詳細なやりとりをみると、会議の実態は「情報交換」どころか、警察と電力会社による「住民運動を抑え込むための密談会」だった。

この問題は一五年六月、参院内閣委員会で取り上げられた。警察庁の高橋清孝警備局長（当時）は、大垣署による市民監視を「公共の安全と秩序の維持という責務を果たすうえで、通常行っている警察業務の一環として事業者の担当者と会っていたもの」と答弁、公安警察の住民運動・市民監視を、「通常の業務」と開き直った。つまり、公安警察が全国どこでもこんな市民監視活動をやっていることを国会で公然と認めたのだ。

●「もの言う自由」を取り戻すために損害賠償提訴

三輪さんらはまず「大垣署の行為は地方公務員法の守秘義務違反」として岐阜地検に告発した。しかし、岐阜地検は一五年一二月、不起訴処分を決定した。

このため「議事録」で名指しされた四人は裁判で闘うことを決意。支援者とともに一六年四月、「大垣警察市民監視違憲訴訟の勝利をめざす『もの言う』自由を守る会」を結成し、同年一二月、岐阜県（県警）を相手取って計四四〇万円の国家賠償請求訴訟を起こした。

一七年三月八日、岐阜地裁で開かれた第一回口頭弁論には一〇〇人を超す支援者が集まり、私も裁判を傍聴・取材した。冒頭、三輪さんは原告を代表し、次のように意見陳述した。

《法は、警察に私の個人情報を無断で収集して管理し、第三者に教える権限を与えておりません。私も許可していません。私の風力発電反対の声は、私の生活を守るための悲鳴です。それがなぜ、監視対象者にされて、企業に情報が流されるのか。警察の情報収集のための監視は、言論の自由を萎縮させる効果が生まれます。そして、権力者が情報をコントロールし、国民には「自由にものを言わせない」社会になりかねません。今回の裁判は、「もの言う自由」を取り戻すための裁判であると宣言し、私の意見陳述とします》

また、山田秀樹弁護団長は「大垣署による監視・情報提供は公権力の行使、市民運動に対する意図的な抑圧であり、警察法第二条『不偏不党かつ公平中正』の責務に反し、守秘義務にも違反する。これは原告らの私生活秘匿権、政治的信条に関するプライバシーを侵害し、表現の自由に対する不当な干渉であり、憲法一三条、二一条に違反する」と述べた。

原告も弁護団も、この裁判を当時全国で取り組まれていた共謀罪を阻止する闘いの一環と位置付けた。弁論後に開かれた報告集会で、山田弁護団長は「共謀罪が作られたら市民監視、運動つぶしが強まる。それを先取りしたのがこの事件。風力発電の勉強会が治安を乱す行為にされ、組織的犯罪集団にされる」と述べた。

「ぎふコラボ」事務局長をしていた原告の船田伸子さんは、「警察に監視されていたことがわかってから、何をするにも人の目を気にするようになった。ひょっとしたら今ここにも警察が、と思ってしまう。そういう自分が嫌です。そのうえ共謀罪が出来たら、もっと生きづらくなってしまう」と訴えた。

●事実の認否も警察官の証人調べも拒否した県警

第一回弁論から約五年。裁判はコロナ禍による期日延期や傍聴者の人数制限などいくつもの制約を受けながら続き、毎回数多くの市民が傍聴に駆けつけた。その経過・審理の概要は『「もの言う」自由を守る会』のHPに詳しく記録されている。

原告は一八年一月、「警察庁及び岐阜県警の保有する原告四名の個人情報を抹消せよ」と、人格権に基づく個人情報抹消請求を追加提訴した。議事録に残されたような原告四人に関する個人情報は、県警や警察庁にも報告され、記録として保有されているはずだからだ。

五年を超す審理で、原告側は争点のプライバシー権について概略次のように主張した。

①公権力が個人情報をみだりに収集、保有、利用(第三者への提供を含む)することにより、個人の私生活における平穏が侵害され、個人が自由に自らの生き方を決定するという人格的自律が脅かされることになる。憲法一三条は、個人の人格的利益を保護するための権利を保障しているから、自己に関する情報をみだりに収集、保有、利用されない自由は、憲法一三条が保障する人格権としてのプライバシーとして法的保護に値する。

②大垣警察はシ社を情報収集活動の協力者に仕立てるため、シ社に原告らの情報を提供した。こうした行為は、思想、良心の自由(憲法一九条)や表現の自由(憲法二一条)が保障されているにもかかわらず、個人が思想良心を変えたり、表現を差し控えたりするなどの事態を招来する恐れがあり、本件情報提供は強い非難に値する。

要するに、大垣署による原告らに対する監視・情報提供は、憲法一三条、一九条、二一条などが保障する基本的人権を著しく侵害する違憲行為だ、というのが原告の基本的主張だ。

警察の日常的な監視、情報提供によってプライバシーを侵害された原告の切実な訴えに対し、被告・岐阜県警は、原告たちをあざ笑うかのような不誠実な対応に終始した。

民事訴訟では普通、原告の訴えに対して被告が事実の「認否」を明らかにし、そのうえで反論・主張を展開する。ところが、この裁判で被告は、原告が指摘した情報収集活動について、「その実態を明らかにした場合、今後の情報収集活動に困難が生じ、公共の安全と秩序の維持に重大な影響が生じる恐れがある」として、「議事録記載の内容、原告らの個人情報の収集、保有及び提供行為の実態については認否しない」との態度をとった。

そうして情報収集に関する具体的な指摘には言及を避けつつ、一方で「本件情報収集等は原告らのプライバシーを侵害するものではない」として請求を退けるよう求めた。

裁判の証拠調べで重要な意味を持つ証人調べについても、被告は関与した警察官の出廷を拒否した。進行協議で、二一年五月に岐阜県警警備一課長、大垣署警備課長ら、住民運動監視に関与した公安警察幹部三人の証人調べ実施がほぼ決まっていたにも関わらず、県警側は土壇場で証人尋問に強硬に抵抗し、裁判所は不採用を認めてしまった。

結局、この裁判で被告は事実の認否を拒み、公安警察幹部の出廷も拒否し、具体的な立証・反証はせず、ひたすら「情報収集活動は適法」と唱えるばかりだった。

●「公安の犯罪」を断罪した原告側の最終陳述

裁判は二一年一〇月二五日に開かれた弁論で結審した。この日、原告代理人の岡本弘明弁護士は、最終準備書面で次のように陳述した。

《違法な情報収集行為等が白日の下にさらされても、被告らは、本件について認否もしないし、証人尋問にも応じない。ひいては、国会において、警察庁警備局長が、「通常行っている警察業務の一環」とまで答弁した。今日に至っても原告らに対して一言の謝罪もない。法と裁判所を軽視し、自らの行為を顧みることもなく、通常業務とまで言い放つ公安警察に対し、立憲主義の何たるかを知らしめるのは司法権の使命である。本件の本質が公安警察の情報収集行為にあることを正しく理解し、情報提供行為にとどめず、情報収集行為とその保有行為にまで、鋭く司法の鉄槌を振り下ろすことを期待する》

また、原告の僧侶・松島勢至さんは最終意見陳述で次のように訴えた。

《当初から私の中にある疑問点を挙げます。まず第一に、なぜ一市民である私の行動が監視されなければならなかったのか？　第二に、警察といえども勝手に個人の情報を収集し、保有してもいいのか。第三に、たとえ私の情報を知り得たとしても、営利を目的にしている一企業に情報を提供してもいいのか。第四に、警察は平穏な大垣市を維持したいと言うが、私たちの行動が平穏を乱す行為なのか。（中略）警察とシーテック社の情報交換をした議事録を読むと、私の生き方を否定し、私の行動があたかも大垣市の平穏を乱すようなものだと言っていることには怒りを覚え、腹が立ちます。（中略）私は真宗大谷派の僧侶です。念仏をよりどころにして、佛の教えに沿って生きようとするものです。阿弥陀仏は、我々に「地獄・餓鬼・畜生」の無い世界を生きて欲しいと願いをかけています。それは、戦争、そして貧困と格差、さらに誰からも管理されず、権力者の言いなりになることのない生き方をして欲しいという願いです。それは人間の根本の願いであり、生きとし生けるものの「いのち」が損なわれてはならないということです。今回の事件は「いのち」が損なわれたものと受け止めています。今この時に、ここに生きていることを否定されたのです。人を監視し情報を収集するということはそういうことです。被告・警察はそのことをしっかりと受けとめて欲しいと思います》

●公安警察の「情報提供」を違法とした初めての判決

こうして迎えた二月二一日の判決。岐阜地裁（鳥居俊一裁判長）は、大垣署の公安警察官がシ社に原告らの個人情報を提供した行為について、「要保護性の高い原告らのプライバシー情報を積極的かつ意図的、継続的に提供した態様は悪質と言わざるを得ない」としてプライバシー侵害を認め、原告一人について五五万円、計二二〇万円の損害賠償支払いを命じた。

判決はまず、被告が認否しなかったシ社の議事録について、その存在と信用性を認め、「提供された情報は原告らの私的または思想信条にかかる活動に関するものといえ、原告ら個人に関するプライバシー情報と認められる」とした。そのうえで、「公共の安全と秩序の維持のために必要な活動」とする被告の主張を退け、「大垣警察はシ社に対し、原告らの情報を提供する必要性があったとは認め難い状況であったにもかかわらず、原告らのプライバシーを積極的、意図的に提供したものであり、原告らのプライバシー情報をみだりに第三者に提供されない自由を侵害したもの」と原告の訴えを認めた。

しかし、情報収集活動自体については、「本件情報収集の必要性はそれほど高いものではなかった」としながら、「仮に原告らの活動が市民運動に発展した場合、抽象的には公共の安全と秩序の維持を害するような事態に発展する危険性はないとは言えない」として情報収集の必要性を認め、「国家賠償法上、違法とまでは言えない」と結論した。

また、原告が追加提訴した個人情報の抹消請求については、「原告は保有した一切の情報の抹消を求めているが、警察庁及び岐阜県警等が収集し、保有している原告らの情報が特定されていない以上、特定性を欠く請求は不適法」として却下した。原告が情報を特定できなかったのは、被告が認否も拒否したためだが、判決はそれを不問にした。

これについて弁護団は判決直後に発表した声明で、「公安警察が特定の個人に着目して情報を収集し保有し続ける行為は、国民監視という他なく、国民の政府に対する市民活動や表現活動を萎縮させるもの」であり、「判決はこの観点からの判断が不十分」と指摘した。

「『もの言う』自由を守る会」のHPに掲載された判決報告集会の記録、映像によると、判決言い渡しには約一〇〇人の支援者が集まった。言い渡し直後、法廷を飛び出してきた弁護士・原告は「勝訴」「公安警察の情報提供を断罪」と書かれた旗を高く掲げ、待ち受ける支援者たちの大きな拍手で迎えられた。

判決報告集会では、情報提供の違法性を認め、この種の裁判では高額な二二〇万円の賠償支払いを命じた判決を弁護団、原告ともに高く評価した。訴えが認められなかった部分については、「引き続き認められるよう取り組んでいく」との決意が表明された。

私は（健康上の理由から）、判決言い渡しを直接取材できなかったが、後日、メールで原告の一人である近藤さんから、判決について次のような感想をいただいた。

《まだ、ざっとしか読めていませんが、判決書では、事実認定の大部分、公安警察のシーテックへの情報提供行為に関する九割方は、原告側の主張を認めているように思います。「この事件における岐阜県警大垣署の個人情報提供の態様」について、「違法だ」というのみならず「悪質だ」とまで言及しています。大垣署の公安が提供した個人情報は、プライバシー情報の中でも要保護性が高い、思想信条に関わるもの（市民運動に関連する情報は思想信条と関連する情報）。だから「原告らのプライバシー情報をみだりに第三者に提供されない自由を侵害したもの」であり、「必要性がないのに、積極的かつ意図的に、かつ複数回にわたり継続的に、シーテック社に提供したものであり、かかる情報提供の具体的態様は悪質といわざるを得ない」と。

裁判所が、公安警察が情報収集すること自体を全面的に「違法だ」というのは難しいでしょう。私たちはあくまでも「法的根拠のない情報収集はダメ」と言い続けますが。そうすると、収集した情報の「利用」の面で、ここまで厳しく裁判所が断罪したことは、公安警察にとってはかなりの痛手で、そういう意味では「高く評価」するに値する判決なのかもしれません》

●メディアは公安報道を検証し、警察の人権侵害を監視する使命を果たせ

日ごろ暗闇に隠れて市民の私生活や活動を監視し、個人情報を蓄積している公安警察にとって、その活動の一端である情報提供を「違法」と認定されたことは、近藤さんの指摘通り、「かなりの痛手」になったに違いない。二二日付『東京新聞』一面によると、岐阜県警は「判決は真摯に受け止めている。内容を検討したうえで今後の対応を決めさせていただく」と、警察には珍しく殊勝らしいコメントを出した。

ところが、公安警察の活動を「悪質」「違法」と断罪した画期的な判決にもかかわらず、大手メディアの報道は、ごく地味な扱いだった。

二二日付の朝刊報道では、『東京』が一面三段で《県警　個人情報提供は違法／風力発電反対巡り／住民への賠償命令／岐阜地裁判決／情報収集の違法性は否定》、第二社会面三段で《個人情報の抹消請求は却下／「司法救済の道閉ざし問題」／県警の提供「違法」》と大きく報じ、社説でも《警察と個人情報／野放図な収集は危うい》と論じた。

しかし、この裁判の端緒となるスクープを放った『朝日』は、第二社会面に《警察が個人情報提供「違法」／学歴や病歴／岐阜地裁、県に賠償命令》の二段見出しで判決の概略を伝えただけだった（二四日付で

社説《警察と情報／逸脱を許さぬために》掲載したが）。

『毎日新聞』も第二社会面二段で《県警情報提供「違法」／地裁判決／岐阜県に賠償命令》とそっけない扱い。また、『読売新聞』『産経新聞』には、記事そのものが見当たらなかった（以上、東京本社版）。テレビニュースの扱いも目立たないものだった。

『東京』以外のメディア各社は、公安警察による人権侵害を認定・断罪し、高額の損害賠償を命じた岐阜地裁判決のニュース価値が理解できなかったのだろうか。

『東京』社説は、《私たちは、自分たちの個人情報を警察権力がどれだけ収集し、どんな形で第三者に提供されているかをほとんど知らない》として、《各県公安委員会などは、捜査当局による個人情報収集がブラックボックス化せぬよう、何らかの手立てを講じるべきではないか》と述べた。『朝日』社説は、判決が情報収集について「違法とまでは言えない」としたことに疑問を呈し、《これではどんな情報収集も認められることになりかねない》と批判したうえで、『東京』と同じように公安委員会によるチェックの必要性を指摘した。

だが、周知のように、公安委員会は国レベルでも都道府県レベルでも、人事も含めてほぼ完全に警察の管理統制下にあり、公安警察の監視・チェックなどとうてい期待できない。

共謀罪の施行下、警察権力がますます肥大し、横暴になる中で、公安警察の人権侵害を日常的にチェックできるのは、ジャーナリズム・報道機関以外にないと言ってよい。

しかし、現状は、記者クラブ制度のもとで記者たちが監視すべき対象の警察から管理され、情報コントロールされている。日ごろから公安警察の発表する情報を検証もせず（できず？）に垂れ流し、公安の広報と化している現実がある。そんな状況を突破しようとしたのが、今回の裁判の端緒を作った『朝日』記者の画期的なスクープだった。

メディアは、今回の判決をきっかけに公安警察に対する取材・報道姿勢を検証し、権力による人権侵害を監視して市民に伝える本来のジャーナリズムに立ち返ってほしい。

注―二〇二二年三月、原告被告双方名古屋高裁に控訴。

「安倍はウソつき」と言っただけで、逮捕・勾留される危険性
──表現の自由を奪い、公安警察に弾圧の道具を与える〈侮辱罪〉厳罰化（五月二五日）

侮辱罪の法定刑を引き上げ、厳罰化する「刑法改正」法案が今国会で成立の見込みになっている。「インターネット上の誹謗中傷対策」と称して政府が提出した法案だが、肝心の「ネット上の侮辱」に抑止効果がないだけでなく、問題だらけの危ない代物だ。法定刑に新たに懲役刑を加えることで、逮捕や勾留が可能になり、街頭演説する政治家に「うそつき」とヤジを飛ばしただけで逮捕される可能性がある。名誉毀損罪の免責事項のような適用の歯止めがなく、メディアが今以上に萎縮し、権力批判という本来の役割を果たさなくなる恐れが強い。市民運動や労働運動に介入する公安警察の弾圧の道具となり、表現の自由を脅かす危険な法案だが、警鐘を鳴らすべきメディアの反応は鈍く、野党の反対も腰砕けで、市民の関心も今一つ。ロシアのウクライナ侵攻を口実に憲法改悪の動きが加速する中、「表現の自由」に足かせをはめる〈先取り壊憲〉が強行されようとしている。

●「安倍辞めろ」と叫ぶと逮捕される？

侮辱罪厳罰化法案の中身を見て思い浮かんだのが、二〇一九年夏の参院選で、札幌市内で街頭演説中の安

2018年のデモ。（写真提供：松原明）

倍晋三首相（当時）に「安倍辞めろ」「増税反対」などのヤジを飛ばした市民二人が、北海道警の警察官に暴力的に現場から排除された言論弾圧事件だ。

二人は「政治批判の声をぶつける機会を違法に奪われ、憲法が保障する表現の自由を侵害された」として道警に慰謝料を求め提訴。札幌地裁は今年三月二五日、「排除行為は表現の自由を侵害した」として排除の違法性を認め、八八万円の賠償を命じた。

判決は、「公共的・政治的表現の自由は、特に重要な憲法上の権利として尊重されるべき」と述べたうえで、「原告らのヤジは公共的・政治的表現行為」と認め、警察官らは「表現行為そのものを制限した」と結論した。

もし、これが「侮辱罪厳罰化後」のことだったら、どうなっていただろうか。まず考えられるは、警察が現場で二人を侮辱罪の現行犯として逮捕・勾留・起訴する事態だ。そうして刑事裁判の被告席に座らせ、「首相を批判したらどんな目に遭うか分かったか」と思い知らせて、安倍元首相が「こんな人たち」と呼んできた市民運動を萎縮させる悪夢だ。

こんな想像が決してあり得ないことではない——そう危惧させられる内容が、「刑法改正」法案の中にある。そもそも侮辱罪とはどんなものか。

刑法の「名誉に対する罪」は二つあり、第二三〇条が「名誉毀損罪」、第二三一条が「侮辱罪」。

名誉毀損罪は「公然と事実を摘示し、人の名誉を毀損した者は、その事実の有無にかかわらず三年以下の懲役もしくは禁錮又は五〇万円以下の罰金に処す」というもの。たとえば「あいつは窃盗罪で逮捕されて懲役刑を受けた」「部下と不倫している」などと「具体的な事実」を公然と示した場合、それが真実であるかどうかを問わず、罪に問われる。

侮辱罪は「事実を摘示しなくても、公然と人を侮辱した者は、拘留または科料に処する」。「バカ」「無能」など、「具体的な事実」を示さずに誹謗中傷する場合が該当する。

その処罰は大きく異なる。名誉毀損罪は懲役刑もあるのに、侮辱罪は刑法で最も軽い「拘留または科料」となっている。同じように誹謗中傷しても、具体的な事実の指摘がなければ名誉に対する危険の程度が低く、被害の程度も軽い、とされているためだ。

●名誉毀損罪にある免責規定のない侮辱罪

今回の「刑法改正」法案は、「拘留（三〇日未満）または科料（一万円未満）」だった法定刑に「一年以下の懲役もしくは禁錮もしくは三〇万円以下の罰金」を付け加え、公訴時効も一年から三年に延びる。それは単なる厳罰化ではすまない危険な内容をはらんでいる。

一つ目は、逮捕要件の大幅な緩和。これまでの「拘留または科料」では「定まった住居を有しない場合」でなければ逮捕・勾留することは出来ないとされてきた。ところが、法定刑が「懲役」を含むものになると、「定まった住居があり、出頭の求めに応じた場合」でも逮捕・勾留され、有罪判決が確定する前でも長期間の身体拘束が可能になる。

また、法定刑が「拘留または科料」に限られる犯罪では「教唆及び従犯」は処罰の対象から除外されているが、それが「懲役刑」を含むものに引き上げられることにより、処罰対象が「教唆したもの」「幇助した者」に拡大される。

二つ目は、侮辱罪には名誉毀損罪に規定されているような適用の歯止めがないこと。名誉毀損罪については戦後（一九四七年）、憲法二一条が保障する表現の自由と名誉・人格権保護の調和を図るため、刑法二三〇条に免責規定が新設された。

その内容は、名誉を毀損する行為であっても、「公共の利害に関する事実に係り、かつその目的が専ら公益を図ることにあった場合」は、指摘した事実が真実であったことの証明があれば、罰しない。また、「公訴を提起されるに至っていない人に関する犯罪行為は公共に利害に関する事実と見なす」とされ、「公務員または公選による公務員の候補者に関する事実に係る場合」にも適用される。

この免責規定は戦前、名誉毀損罪が新聞を中心としたメディアの弾圧に悪用されたこと、とりわけ皇室、公務員、政治家に関する批判的報道を抑圧し、弾圧する国家権力の大きな武器になっていたことの反省に基づく戦後改革の重要な柱だ。さらに、最高裁判例では、真実性の証明がない場合でも、真実と信じる相当の理由があったこと、誤信したことについての根拠などが示されれば免責される、としている。これによって、政治家や公人に対する批判的報道のハードルは低くなり、「言論・表現の自由」は格段に拡大した。

しかし、侮辱罪には免責規定が一切ない。たとえば、「安倍元首相は森友、加計、桜を見る会問題でウソをついている」と書いたり、演説会場で「うそつき」とヤジを飛ばしたりしても、名誉毀損罪で逮捕したり処罰したりすることは、免責規定の公共性、公益性からほぼ不可能だ。ところが、侮辱罪が免責規定のないまま厳罰化されると、安易に適用され、逮捕・起訴、勾留、さらには懲役刑も十分にあり得る。

その結果、公安警察に弾圧の新たな道具を持たせることになる。たとえば、関西生コン事件や韓国サンケン労組支援運動の弾圧事件では、公安警察は「恐喝」「暴行」威力業務妨害」など苦しい別件を捏造して逮捕・弾圧を強行してきた。しかし今後は企業経営者などの意を受け、現場で侮辱罪を適用して片っ端から逮捕、起訴することも可能になる。

また、公安警察は市民運動の集会、デモに大量の捜査員を動員し、参加者の写真や映像を勝手に撮影しているが、今後はそれが、「侮辱罪の証拠」に使われる可能性がある。参加者の掲げるプラカードなどを録画、写真撮影し、集会での発言を録音して、あとで侮辱罪の逮捕容疑にする。あるいは、演説会場で政治家の指示を受け、現行犯逮捕する。

しかも、それらの労働運動や市民運動に対する弾圧が、「教唆・幇助」と称して、他の参加者、運動組織全体に拡大される恐れもある。

●政府自民党の標的は「表現の自由」

今回の「刑法改正」は二〇二〇年、テレビ番組に出演した女子プロレスラーがSNSで中傷され、命を絶ったことがきっかけとされる。ツイッターに「死ね」などと書き込んだ二人が侮辱容疑で書類送検されたが、科料九〇〇〇円にとどまったことについて「軽すぎる」との声が強まり、厳罰化を求める声が高まった、とされている。

「改正法案」は、二〇二一年一〇月に開かれた法制審議会でわずか二回の審議で採択され、法務大臣に答申されたうえで、今年三月八日に閣議決定され、上程された。

しかし、ネット上の誹謗中傷をなくすのに、侮辱罪の厳罰化は効果があるのか。この「改正」に反対する日弁連や自由法曹団は、次のように問題点、対策を指摘している。

①ネットの匿名による書き込みは加害者の特定が困難で、直ちに厳罰化の効果は期待できない、②過去五

年間、侮辱罪による求刑は科料のみで拘留も適用されたことがない。なぜいきなり懲役刑なのか、③ネット上の誹謗中傷をなくすには、SNSなどの運用者に発信者の情報保存など実効性のある対策を取らせることが先決、④被害回復の費用を被害者に負担させないよう、プロバイダ責任制限法を改正するなど民事上の救済手段を充実すべき——。

要するに、先にやるべきことがあるのに、政府は抑止効果がさほど期待できない厳罰化を強行しようとしている。その理由は何か。

想起されるのは、讒謗律《ざんぼうりつ》の復活だ。一八七五年に明治政府が作った問答無用の言論統制・弾圧法で、名誉毀損罪、侮辱罪の原型となった。当時、次第に活発化していた自由民権運動や政府批判の言論・報道を抑え込もうと施行され、新聞紙条例とセットで自由民権の政論新聞や記者に対する逮捕、弾圧に猛威を振るい、報道を萎縮させた。

安倍元首相は市民から痛烈なヤジを浴びる度に、戦前の「古き良き時代」を羨んでいたのではないか。「こんな人たち」を取り締まれる讒謗律の現代版があれば……。さらには、森友、加計、桜を見る会事件で、今も時折り目にする新聞報道を見る度、手っ取り早く侮辱罪が適用できないものか……。

なによりも心配なのが、言論、表現に対する萎縮効果だ。最高裁の民事判例では、「意見ないし論評については、その内容の正当性や合理性を特に問うことなく、人身攻撃に及ぶ意見ないし論評としての域を逸脱したものでない限り、名誉毀損の不法行為が成立しない」とされている。これは、言論、報道における自由な論評を保障するもので、憲法二一条の表現の自由が民主的な政治過程の維持に不可欠なものだからだ。

しかし、名誉毀損罪にあるような免責規定がないまま侮辱罪が厳罰化された場合、どうなるか。実際に侮辱罪が適用されるまでもなく、「この記事、こんな表現は侮辱罪に問われるかもしれない」との「忖度」が働き、過度の「萎縮」「自粛」が起きる可能性がある。

そのことだけでも、侮辱罪の厳罰化は民主主義にとって重大な脅威となる。逆に言えば、それこそが政府のほんとうの狙いなのではないか。

●メディアの反応は鈍く、危険性が伝わらないまま衆議院通過

この「刑法改正」法案に対し、立憲民主党や日本共産党は「政治家に対する正当な批判を萎縮させる」として反対、立民は「政治家などへの正当な批判は罰しない」との特例を設ける対案を提出した。

衆議院法務委員会の審議（四月二七日）では、「閣僚や国会議員を侮辱した人が逮捕される可能性があるか」との質問に、二之湯智・国家公安委員長は当初「ありません」と明言したが、後に「逮捕される可能性は残っている」と答弁を変えた。

しかし、野党の反対は腰砕けで、さしたる抵抗もなく衆議院を通過した。衆議院法務委員会は五月一八日、「表現の自由を制約していないかを三年後に検証する」など実効性のない付則を加えただけで、与党、日本維新の会、国民民主党の賛成多数で法案を可決した。

国会上程から約二か月半。メディアはこの法案を重大問題として報道してこなかった。五月一一日にようやく『朝日新聞』が第三社会面《侮辱罪　厳罰化どこまで／ネット中傷対策　衆院審議山場》、『東京新聞』三面《「侮辱罪厳罰化へ刑法改正案審議／言論の自由どう確保／政治家批判で逮捕懸念、立民が対案」と報じた。また『朝日』は八日付社説《侮辱罪厳罰化／慎重な審議を求める》で、『東京』も一四日付社説《侮辱罪の厳罰化／言論封殺の危惧を持つ》で侮辱罪を論じたが、なぜもっと早く警鐘を鳴らさなかったのか。

テレビはまるで関心を示さなかった。メディアにとっては、自らの報道に関わる死活問題なのに、ニュース、情報番組に関わらず、侮辱罪厳罰化を正面から報じた番組は、私の知る限りほとんどなかった。テレビ各局は北海道・知床の観光船事故、山口県阿武町の誤送金問題などで、興味本位な報道を繰り広げるのに忙しく、侮辱罪厳罰化との関連で安倍元首相の疑惑を改めて取り上げるような報道姿勢は、まったく見られなかった。

安倍政権以来、秘密保護法、盗聴法拡大、共謀罪など言論・表現の自由を脅かし、公安警察の恣意的な弾圧を容易にする憲法違反の人権侵害立法が次々強行されてきた。今回の侮辱罪厳罰化も、その流れに乗り、加速させるものだ。ロシアの「報道の不自由」をあげつらっている場合ではない。メディアは戦前、讒謗律や新聞紙法によって言論・報道の自由が根こそぎ奪われた先輩たちの苦い経験を思い起こし、今からでも侮辱罪厳罰化の危険性を一人でも多くの市民に伝えてほしい。

注1―道は二〇二三年四月一日、札幌高裁に控訴。

注2―二〇二二年六月一三日改正刑法が成立し、侮辱罪の法定刑の引上げに係る規定が同年七月七日から施行。侮辱罪の法定刑が「拘留又は科料」から「一年以下の懲役若しくは禁錮若しくは三〇万円以下の罰金又は拘留若しくは科料」に引き上げられ、施行三年後における施行状況の検証が附則に追加された。

「疑わしきは裁判官の利益に」でいいのか

――四三年の無実の叫びを足蹴にし、再審の訴えを踏みにじった大崎事件再審のヒラメ裁判官たち（上）（六月二七日）

「疑わしきは被告人の利益に」――刑事裁判は検察側に立証責任があり、その立証にわずかでも疑わしい点・疑問点が残っていれば、被告人を有罪にしてはならない。無罪推定原則を裁判官の立場から述べた刑事裁判の鉄則だ。それが、今や「疑わしきは裁判官の利益に」に変質してしまった、と言わざるを得ない。鹿児島県大崎町で一九七九年に起きた「大崎事件」で鹿児島地裁（中田幹人裁判長）は六月二二日、原口アヤ子さん（九五歳）の四度目の再審請求を棄却した。この事件では過去三度再審開始決定が出ているが、そのたびに検察が抗告して上級審が再審開始決定を取り消し、第三次再審請求審では鹿児島地裁、福岡高裁が出した再審開始決定を二〇二〇年六月、最高裁が異例の「自判」で覆した。それに続く今回の第四次再審請求審。鹿児島地裁の「（上しか見ない）ヒラメ裁判官」たちは最高裁決定に追従、「被告人の利益」どころか、最初から「請求棄却ありき」の乱暴な認定で、四三年に及ぶアヤ子さんの無実の叫びをまたしても裁判の門前で足蹴にした。

●自白強要の取調べに屈せず、四三年間無実の訴え

「事件」の概要は次のようなものだ（裁判記録、日本国民救援会などの資料による）。

一九七九年一〇月一五日午後、大崎町の農業Nさん（四二歳）の遺体が、自宅牛小屋の堆肥の中から腐乱状態で発見された。Nさんは三日前の一二日、親族の結婚式に出席したが、その夜、自宅から約一キロ離れた農道わきの用水路に自転車ごと落ち、泥酔状態で倒れているのを通りがかった近隣住民に発見された。Nさんは軽トラックで自宅まで送り届けられたとされるが、その後、所在が分からなくなり、家族から捜索願が出されていた。

警察は「近親者による殺人・死体遺棄事件」の予断をもって捜査。遺体発見の三日後には同じ敷地内に住むNさんの長兄Zさん（五二歳）と次兄Kさん（五〇歳）を殺人・死体遺棄容疑で逮捕。さらに二七日、Kさんの長男Yさん（二五歳）を死体遺棄容疑で逮捕した。

警察はZさんの妻（その後、離婚）の原口アヤ子さん（当時五二歳）を「主犯格」と見立て、「アヤ子を主犯とする保険金殺人」の事件像に沿って逮捕した三人に自白を強要。三人が「犯行」を自白すると、三〇日、アヤ子さんを殺人・死体遺棄容疑で逮捕した。三人には知的障害があり、警察の誘導や脅しに屈しやすい「供述弱者」だった。

警察・検察の描いた犯行ストーリーは、〈アヤ子が首謀し酒乱のNさんを殺害して保険金を騙し取ろうと謀議、アヤ子、Z、Kの三人でNさんをタオルで絞め殺し、アヤ子とYで牛小屋に死体を隠した〉というも

の。三人はすぐに「犯行」を自白したが、アヤ子さんは最初から否認。アヤ子さんと三人は別々に起訴され、その後もアヤ子さんは全面否認を貫き通し、逮捕から四三年間「あたいはやっちょらん」と無実を訴え続けてきた。

裁判は初公判からわずか三か月で結審、鹿児島地裁は八〇年三月、アヤ子さんに懲役一〇年、Zさんに懲役八年、Kさんに懲役七年、Yさんに懲役一年の有罪判決を言い渡した。三人はそのまま服役したが、アヤ子さんは控訴。その後、八〇年一〇月に福岡高裁宮崎支部が控訴棄却、八一年一月には最高裁が上告を棄却して有罪が確定、アヤ子さんは佐賀県の鳥栖刑務所に収監された。

●「事故の可能性」認め、鹿児島地裁が再審開始決定、福岡高裁が取り消し

事件関係者の運命はその後、大きく転変する。八七年一月に出所した次兄のKさんが三か月に自殺。アヤ子さんは無実を訴え続け、再審を目指して仮出獄を拒否し、九〇年七月、刑期満了で出所した。その直後に夫のZさんと協議離婚、Zさんは九三年三月に病死した。

アヤ子さんは九五年四月、鹿児島地裁に再審を請求した。再審請求審で弁護団は「首を絞めたとする確定判決の殺害方法を裏付ける痕跡はなく、死因として考えられるのは頸椎の損傷だけ」とする鑑定書を提出し、「事件当日、自転車ごと溝に転落して頸椎を損傷した事故死の可能性がある」と主張した。アヤ子さんに続き、Yさんも九七年、鹿児島地裁に再審請求したが、二〇〇一年五月に自殺（後にZさんの母親が請求を引き継

ぎ、再審請求）。これにより、アヤ子さん以外の事件関係者三人が全員亡くなった。

請求を受けて〇二年三月、鹿児島地裁は、①殺人ではなく事故の可能性がある、②「共犯者」とされた二人が取調べで自白を強要された、③その自白内容が客観的な事実や証拠と矛盾するうえ、「自白」以外に証拠がない――ことなどを理由に再審開始を決定した。

しかし、検察官が決定取り消しを求めて即時抗告、福岡高裁宮崎支部は〇四年一二月、事実調べもせずに再審開始決定を取り消し、最高裁もアヤ子さんの特別抗告を棄却した。

アヤ子さんは二〇一〇年八月、鹿児島地裁に第二次再審請求を申し立てた。しかし一三年三月、鹿児島地裁は弁護側が求めていた証拠開示や法医学者などの鑑定人尋問など、何もしないまま再審請求を棄却、高裁、最高裁もこれを支持し、二度目の再審請求を棄却した。

●再審史上初めての三度目の再審開始決定

それから二年後の一五年七月、アヤ子さんは鹿児島地裁に三回目となる再審請求を申し立てた。この請求で、弁護団は二つの新証拠を提出した。一つは、有罪判決の根拠の一つとされてきたアヤ子さんの関与を示唆するKさんの妻Gさんの目撃供述について、「体験に基づかないことを話している可能性がある」とした心理鑑定。もう一つは、Nさんの遺体の状態から、「死因は絞殺ではなく、出血性ショック死を想定させる」とした法医学鑑定だ。

これを受けて鹿児島地裁（冨田敦裁判長）は一七年六月二八日、再審開始を決定した。決定は、弁護団が提出した法医学鑑定により、遺体に頸部圧迫による窒息死を示す所見がなく、「死因は窒息死」としていた確定判決の根拠が大きく揺らいだ、と認定した。

決定はまた、Gさんの供述心理鑑定で、「体験に基づかないことを話している可能性がある」と認めたうえ、新旧証拠を総合的に再評価した。

そうして、「共犯者」の自白について、三人に知的障害があり、捜査機関の暗示や誘導を受けて供述した可能性を否定できないこと、供述を裏付ける客観的証拠が存在しないことから「共謀も殺害行為も死体遺棄もなかった疑いを否定できない」として事件性すらない可能性にまで踏み込み、〇二年以来二度目の再審開始決定を行なった。

同じ事件で二度の再審開始決定が出たのは、死刑再審を認めた「免田事件」以来だ。

新聞各紙は決定を大きく報じた。六月二九日付『朝日新聞』は社会面に《「ありがとう」九〇歳の涙／原口さん「やっちょらん」》という大きな記事を掲載。鹿児島総局デスク時代から大崎事件を追い続けてきた編集委員の大久保真紀記者は、原口さんの喜びの表情を伝え、《一五日に九〇歳となった原口さんが、心から笑える日が訪れるかどうかは、検察の判断にかかっている》と書いた。三〇日付『毎日新聞』は《すみやかに名誉の回復を》と題した社説で、《検察は即時抗告せず、再審裁判に応ずるべきだ》と求めた。

この時、すでに「事件」発生から三八年経っていた。検察は即時抗告でこれ以上裁判を引き延ばしたりせず、直ちに再審を開始すべきであった。だが、またしても検察は即時抗告した。脳梗塞と認知症を患っているアヤ子さんはそれを聞いて、「し・ぬ・ま・で・が・ん・ば・る」と、たどたどしく口にしたという。

検察は上級審に行けば、また決定を覆せると思っていたのかも知れない。だが、福岡高裁宮崎支部（根本渉裁判長）は一八年三月一二日、検察の即時抗告を棄却、三度目の再審開始決定を出した。日本の再審史上、三度の再審開始決定が出されたのは初めてのことだ。

検察はこれに対しても特別抗告で応じた。無罪判決に等しい再審開始決定が三度も出ているのに、それでもなお再審に応じない検察。少なくとも三度にわたり、計九人の裁判官が「疑わしきは被告人の利益に」として再審開始を決定したのに、それを認めようとしない。もはや、まともな司法感覚以前に人間として理解しがたい冷酷な対応だった。

●前代未聞！　最高裁が自判による再審開始決定取り消し

それでも、アヤ子さんの無実を信じ、支援してきた関係者のだれもが「今度こそ」と思っていたはずだ。ところが二〇一九年六月二五日、最高裁第一小法廷（小池裕裁判長）は「検察官の特別抗告には理由がない」としながら、「職権により、鹿児島地裁、福岡高裁の決定を取り消し、再審請求を棄却する」という前例のない決定を行なった。

そもそも最高裁は事実関係を調べるところではなく、抗告された下級審の決定・判決について、それが憲法違反に当たらないか、判例を違反していないか、を審理する場だ。

ところが、この再審請求審で小池裁判長率いる小池コートは、検察の特別抗告について「実質は単なる法令違反、事実関係の主張であって、刑事訴訟法の抗告理由に当たらない」との判断を示しながら、いきなり「職権を持って調査した」として地裁・高裁の決定を破棄し、自判した。

そのうえで、地裁と高裁が再審開始決定の決め手とした「死因は絞殺ではない」とする法医学鑑定結果について「遺体を直接見たわけではなく、過去に行なわれた鑑定や解剖の一二枚の写真からしか情報を得られず、証明力には限界がある。確定した有罪判決を覆すには足りない」とし、この決定を「取り消さなければ、著しく正義に反する」とまで述べた。

最高裁も、事例によっては職権で事実関係の判断を行い、自判することがある。しかし、それが容認されるのは、最高裁として事実調べを行なったうえで、再審請求した人を救済する方向から、地裁・高裁決定を「取り消さなければ、著しく正義に反する」と判断した場合だ。それが「疑わしきは被告人の利益に」という姿勢だろう。だが、小池コートは、事実調べや弁論も開かず、問答無用とばかり、いきなり地裁・高裁の決定を破棄、差し戻しすら行わず、再審請求人の救済に逆行する方向で自判し、強引に請求を棄却した。

四三年も前の事件について、「遺体を直接見たわけではなく」などというのは、ほとんど言いがかりのようなものではないか。もしその証明に限界があると判断したのなら、なぜ事実調べを行ない、鑑定人の証人調べも行なったうえで、きちんと弁論を開くべきではないか。また、「写真一二枚からしか情報を得られず」

というが、きちんと事実調べを行なえば、最高裁として検察に新たな証拠を開示させることもできたはずだ。
この事件では、検察は何度も「もう証拠はない」と言いながら、裁判所の命令で隠されていた証拠が大量に出てきた経緯がある。第二次再審請求では二一三点、第三次請求では「存在しない」と言ってきたネガフィルムが一八本も出てきた。それが新たな鑑定や再審開始決定の判断材料ともなった。警察・検察のこうした証拠隠しや、それを容認した最高裁の姿勢は「著しく正義に反しない」のか。裁判官の正義とは一体何なのか。

注─二〇二三年一月現在、第四次再審査請求事件即時抗告審が福岡高等裁判所宮崎支部に係続中。

「疑わしきは裁判官の利益に」でいいのか
——四三年の無実の叫びを足蹴にし、再審の訴えを踏みにじった大崎事件再審のヒラメ裁判官たち（下）　（六月二七日）

●第四次再審請求も棄却

二〇一九年六月二五日、最高裁第一小法廷（小池裕裁判長）は「検察官の特別抗告には理由がない」としながら、「職権により、鹿児島地裁、福岡高裁の決定を取り消し、再審請求を棄却する」という前例のない決定を行なった。

この不当な決定に対し、意思表示が困難になってきたアヤ子さんに代わって長女・京子さん（六七歳）と弁護団は二〇年三月、第四次となる再審請求を行なった。決定から九か月、異例のすばやい請求だ。アヤ子さんにはもうあまり長くは時間が残されていない。

弁護側は、二つの新証拠を提出した。一つは、Nさんの遺体解剖時の写真を分析した救命救急医の鑑定書。確定判決は「タオルによる絞殺」と認定していたが、新証拠は「Nさんは自転車ごと側溝に転落した際、頸髄を損傷し、小腸が壊死した可能性が高い」とした。

もう一つは、Nさんを自宅まで運んだ住民二人の「Nさんは荷台から降ろされた時、一人で立った」

などとした供述に関する心理学鑑定。鑑定は「二人の供述は相互に矛盾している」「体験していないことを話した兆候がある」などと指摘した。この二つの新証拠をもとに、弁護団は「自宅に運ばれた時には死亡していた可能性が高い」と主張した

だが、鹿児島地裁（中田幹人裁判長）は二二年六月二二日、第四次再審請求を棄却する決定をした。決定は請求について、①救命救急医の鑑定は、写真から得た限定的な情報に基づく推論で結論を導いている、②住民の供述は一部に記憶違いによる食い違いがあっても、核心部分の信用性は揺らがない――として「無罪を言い渡すべき明らかな証拠には当たらない」「確定判決の窒息死の認定に合理的疑いを生じさせるとは言えない」と結論づけた。

各紙報道によると、記者会見で弁護団は「結論ありきの決定であり、到底納得できない」と批判。森雅美弁護団長は「これまでの三回の請求よりも緻密な証拠を提出できたと自信があった。裁判所はそれを過小評価し、独断と偏見に満ちた決定を出した」と憤った。

「結論ありきの決定」とは、鹿児島地裁の裁判官たちが、地裁・高裁の再審開始決定を覆した一九年の最高裁決定に縛られ、それに追従して、最高裁決定をなぞった強引な論法で請求棄却の「結論」を出したことを指している。

当日、木谷明・元東京高裁判事、井戸謙一元大阪高裁判事ら一〇人の元裁判官は、元裁判官としては極めて異例の決定批判声明を連名で発表した。

《今回の再審請求において弁護団から提出された新証拠は、被害者の死因に関する新たな有力な見方を示すなど、確定判決に合理的な疑いを惹起するに十分なものとみられていました。（中略）今回示された決定文からは、「誤って有罪判決を受けた者を苦しみから救済する」という裁判所の崇高な使命の自覚を読み取ることができず、先の最高裁決定を深く検討することなく無批判に追従したものと考えざるを得ません》

《刑事裁判の最大の役割は「無実の者を処罰しない」ことです。（中略）確定した裁判の権威を護るために、無理やり再審請求を棄却するようなことは、絶対に許されません》

●「風前の灯火」となった「白鳥・財田川決定」

一九七五年の「白鳥・財田川決定」は、「疑わしきは被告人の利益に」という刑事裁判の鉄則が再審の判断にも適用されることを明言した。そのうえで、刑事訴訟法四三五条にいう「無罪を言い渡すべき明らかな証拠」とは、一般の刑事裁判と同様にすでに提出されている旧証拠と新たに提出された新証拠を総合して判断すべきとも明言した。

これにより、「開かずの扉」と言われてきた再審の重い扉が次々とこじ開けられ、七〇～八〇年代、免田事件、財田川事件、松山事件、島田事件と四件の死刑再審が実現し、四人が死刑台から生還した。

この「白鳥、財田川決定」が、今や風前の灯火となっている。先の最高裁決定も、今回の鹿児島地裁決定も、個々の新証拠についてあれこれとあげつらうばかりで、旧証拠との総合評価を全くしていない。過去三度の再審開始決定で採用された新証拠と今回提出された新証拠を確定判決の元となった旧証拠と照らし合わせ、それらを総合的に検討・判断すれば、確定判決の荒唐無稽さは明白であり、再審開始以外に結論はない。

それを「確定判決の窒息死の認定に合理的疑いを生じさせるとは言えない」などと請求棄却の常套句で事足れりとした裁判官たちは、まさに、「上ばかり見ていてヒラメになった」典型だ。先輩裁判官が出した過去の有罪判決に異を唱えてはならない。「被告人の利益」より、「自分たちの利益」優先。最高裁の顔色をうかがい、自分の将来に傷がつかないように屁理屈をこねる裁判官たち。だが、そんなまずいヒラメを養殖したのも最高裁決定だ。

●大崎事件再審をめぐる不可解な裁判官人事

大崎事件の裁判記録を見直すと、ある重大な疑惑に突き当たる。

袴田事件や狭山事件と同じように「大崎事件は絶対に再審を始めてはならない」という最高裁の権力意志が働いているのではないか——。

たとえば一三年三月、大崎事件の第二次再審請求を棄却した鹿児島地裁の中牟田博昭裁判長をめぐる不可解な人事。彼はその一一年前の〇二年一一月、富山・氷見事件で無実のYさんに懲役三年の有罪判決を言い渡していた。Yさんはやむなく服役したが、出所後、真犯人が現われ、〇七年一〇月、再審で無罪になった。

この誤判で警察・検察の冤罪に加担した中牟田裁判長が、その後もしれっと裁判官を続け、なんと鹿児島地裁で再審請求審の裁判長になった。最高裁は、この恥知らずな裁判官を再審つぶしのエースとして抜擢したのだろうか。大崎事件で中牟田裁判長は、弁護側が求めていた証拠開示や法医学者などの鑑定人尋問など何もしないまま、請求を棄却した。

さらに、地裁と高裁が認めた再審決定を覆した二〇一九年六月の最高裁決定をめぐるこれまた不可解な人事。この決定を出した最高裁第一小法廷の審理に関わった池上政幸裁判官は、第二次再審請求を棄却した一五年二月の最高裁決定にも判事五人の一員として参加していた。そのどちらも五人一致の請求棄却決定だった。

だが、一度再審請求審に参加し、請求棄却決定に関わった裁判官が、同じ事件の審理に重複して関わってもよいのか。刑事訴訟法は、一般刑事事件で一審・二審の公判を担当した裁判官が上級審の審理に関わることを禁じている。審理に予断が働くのを防ぐためだ。

再審請求審は、再審法の未整備からこの規定の対象外とされてきた。だが、刑事訴訟法の「予断排除」の精神から考えると、再審請求審でも予断が働く可能性は否定できず、本来、同一事件の再審に関わるべきでない。

この池上裁判官は一九七七年に検事任官、法務省刑事課長、最高検公判部長、大阪高検検事長などを務めた後二〇一四年に退官、最高裁判事になった。いわば、最高裁における検察の出城のような人物だ。裁判官の中でも刑事裁判に精通しており、審理への影響力は大きい。

そんな人物が、請求を棄却した第二次再審請求審に続き、第三次再審請求審にも関わって、白紙で審理に臨むことができただろうか。もし再審開始を決定するとすれば、四年前に自分が加わって出した請求棄却の結論を否定することになる。そんな「まっとうな判断」を避けるだろうことは容易に推察できる。それほど公正・中立からほど遠い裁判官人事だが、あえてそうしなければならない理由が最高裁にはあったのだろう。

●不当決定に鈍かったメディアの反応

この理不尽極まりない大崎事件の再審請求棄却決定に対し、当日が参院選の公示日だったこともあってか、メディアの反応は鈍かった。地元・九州地方ではテレビのニュース番組でもある程度報じられたようだが、首都圏のテレビではほとんど取り上げられず、新聞でも棄却決定の問題点を掘り下げた報道は少なかった。

記事の扱いと主な見出しは次のようなものだった（東京・多摩地域版）。

▼『朝日新聞』二二日夕刊一面三段《大崎事件　再審認めず／鹿児島地裁　第4次請求を棄却》、二三日朝刊社会面三段《大崎事件　再審認めず／鹿児島地裁　新たな証拠否定》

▼『東京新聞』二二日夕刊一面三段《大崎事件再審認めず／95歳原口さん　4次請求／鹿児島地裁》、二三日朝刊社会面三段《大崎事件　再審認めず／鹿児島地裁／原口さん4次請求／95歳、言葉発せず》、社会面二段《再審の扉また開かず／大崎事件　支援者「許し難い」》、二三日朝刊社会面三段《大崎事件

▼『毎日新聞』二三日朝刊社会面三段《大崎事件　第4次請求棄却／鹿児島地裁／弁護側新証拠認めず

／「ムチ打つような決定」》

▼『読売新聞』二三日朝刊社会面三段《大崎事件　再審請求棄却／鹿児島地裁／新証拠認定せず》

判決要旨を載せたのは『毎日』だけだった。また、社説は『東京』が二四日付で《大崎事件／再審認めず絶望が今も》の見出しで掲載した。

再審に関する報道は、「再審開始」の場合は一面・社会面トップで大きく報じられるが、「棄却」になると、扱いは格段に小さくなる。しかし、ジャーナリズムの本来の役割からすれば、「棄却」の時こそ、その問題点を掘り下げ、詳細に報じるべきではないか。

今回の報道では、『東京』の社説が《殺人事件かも疑わしいのに「再審の扉」さえ開かぬ判断は嘆かわしい》と述べ、棄却決定の問題点を次のようにきちんと指摘した。

《共犯とされた親族の「自白」は捜査側が描く筋書きの根幹だが、変遷があり、警察の取り調べに迎合した可能性がある。もっと新旧証拠を再検討すべきだった》

《原口さんを犯人とする直接証拠はなく「疑わしきは被告人の利益に」という刑事裁判の鉄則にも反する。「殺人」の認定にも科学的な疑義が生じている以上、もはや無実と判定すべきではないか》

《原口さんはすでに九十五歳という高齢であり、再審の扉を早く開く必要がある。検察はその場で反論してもよいはずだ。司法が再審をためらってはならない》

●検察の抗告禁止と証拠開示の義務化を——不可欠な再審法改正

アヤ子さんが再審請求に取り組み始めてからすでに二七年たった。この間、三度の再審開始決定が出たが、そのつど上級審で覆され、今なお再審は実現していない。

どうしてこんなことになっているのか。その大きな理由の一つが、裁判官のヒラメ化とともに、「再審法」に重大な不備があることだ。

「再審法」とは刑事訴訟法の第四編「再審」を指す。刑訴法には五〇〇以上の条文があるが、再審に関する条文はわずか一九しかなく、戦前からほとんど変わっていない。審理の手続きについては「事実の取り調べができる」とあるだけで、裁判官主導の「職権主義」が取られている。このため、裁判官の訴訟指揮次第で、証拠開示など審理に格差（再審格差）が生じている、と大崎事件弁護団の鴨志田祐美事務局長は指摘する。

現行の再審制度が抱える大きな問題点は、①証拠開示が義務化されていない、②検察官の不服申し立て（抗告）が禁じられていない——の二点だ。

かつて布川事件や松橋事件では、警察や検察が隠していた証拠が裁判官の勧告で開示され、再審開始の決め手になった。しかし、証拠開示を勧告するかどうかは裁判官の「裁量」に委ねられており、それが裁判官による「再審格差」を招いてきた。一般刑事事件では裁判員制度の導入に伴って証拠開示が進んできたというが、もし再審法で証拠開示の義務化が制度化されれば、数多くの再審請求事件で「開かずの扉」が開くことになるだろう。

また、検察官の不服申し立て（抗告）が認められていることも、大崎事件が示すように再審実現の大きな壁になっている。苦労に苦労を重ねて再審開始決定を勝ち取っても、検察が抗告すれば、上級審で覆される。これまでどれほど多くの冤罪被害者が、それに悔し涙を飲んできたことか。戦前、日本の刑事訴訟法が影響を受けたドイツでは、一九六四年に再審開始決定に対する検察の抗告が禁止されている。

市民運動レベルでは二〇一九年五月、「再審法改正をめざす市民の会」（共同代表・映画監督の周防正行さんら七人）が発足し、国会への働きかけなど精力的に活動している。

また、日弁連も「再審法改正実現本部」の設置を今月一六日付けで決めた。

メディアはもっと積極的に「再審法改正」の必要性を訴えてほしい。また、国会も「人権後進国」の汚名を返上するために本格的な議論を始めてほしい。

国会では一九六八年、「再審特例法案」が提案されたことがある（後に廃案に）。その審理で、当時の社会党・神近市子衆院議員はこう訴えたという。

《再審制度は本来無実を救う黄金の槍であるべきにもかかわらず、現実においいては雪冤を阻む鉄の扉と化しつつある、とさえ言われてきた》

それからすでに半世紀以上たった。再審制度を「鉄の扉」から「黄金の槍」へ。原口アヤ子さんをはじめ、全国の数多くの冤罪被害者が首を長くして、その時を待っている。

アヤ子さんと弁護団は二七日、鹿児島地裁の決定に即時抗告した。闘いの舞台は福岡高裁宮崎支部に移る。

解説――あとがきにかえて

著者山口正紀氏は、二〇二二年一二月七日に逝去されました。四年間以上にわたる闘病生活を続けたうえで、入院先にて緩和ケアを受けながら、ご家族に見守られ、安らかに永眠されました（享年七三歳）。

私は、山口氏とは高校（大阪府立三国丘高校）の同級生（一年生時）です。一九八〇年代後半から、人権をめぐるテーマを共通項として、新聞記者と弁護士という関係で交流が続きました。また、一九九二年以降は、私が非常勤講師を務めてきた東大教養学部「法と社会と人権」ゼミで、報道と人権をめぐる諸問題について、山口氏にゼミ生へのレクチャーを依頼することが約二五年間も続きました。ほとんど謝礼を出さなかったのに、いつも時間の都合をつけて、積極的に協力してくれました。全国の学生のための人権教材として出版した『テキストブック現代の人権』（日本評論社刊）の第二版～第四版（一九九七年以降）では、「報道と人権」の章を山口氏が執筆し、大変好評でした。

昨年七月初めに、山口氏が闘病生活の中で久しぶりに高校同窓会に姿を見せ、同窓生にしっかりした口調で近況を語りました。その折に、彼が最近の数年間寄稿してきたコラムの文章を、単行本で出版する意向があるか聞いたところ、彼はやってみようと積極的でした。そして、秋には、出版社も決まり、原稿データの編集作業が開始され、年末にも出版可能な状況になった時に、彼の体調が急速に悪化して入院生活に入りました。このため、本のタイトルなどについて、入院中の彼の意向をご家族を介して確認し、サブタイトルは、「元読売新聞記者の遺言」とすることになりました。その他編集作業については、出版社や私に任せたいとの伝言でしたが、しばらくして、悲しい訃報が届きました。彼の生存中に出版できなかったことは、かえすがえすも残念無念です。ただ、彼の息づかいがまだ感じ取れるような、この時期に彼の遺作を世に送りだすことができたのは、旬報社の木内さんのおかげであり、感謝申し上げます。

山口氏の文章は、いつも、そんたくの無い、歯切れのよい内容でした。本書の中には、国家権力・巨大権力の横暴による深刻な人権侵害の実態、これを報じない大手メディアに対する厳しい批判が、多くの具体的事例を通じて書かれています。「言いたいことが山ほどある」という彼の言葉は、「不正義・人権蹂躙が山ほどある」「言うべきことを言わないメディアが山ほど存在する」という意味を含んでいるのだと思います。

読者の皆様方が、山口正紀氏の志を受け継ぎ、国家・社会の理不尽さを正していくための様々なとりくみに、今後とも参加されていくことを期待してやみません。

二〇二三年一月　　　　　　　　　　　　　　　　川人　博

［著者紹介］

山口正紀（やまぐち　まさのり）

一九四九年生まれ。二〇二二年一二月逝去。大阪府立三国丘高校、大阪市立大学経済学部卒。

一九七三年読売新聞社に入社し、報道記者として活動。

一九八六年から「人権と報道・連絡会」の活動に参加。

二〇〇三年読売新聞社を退社し、フリージャーナリストとして活動。

著者に『テキストブック　現代の人権』（共著、第二版、第三版、第四版、日本評論社）、

『ニュースの虚構　メディアの真実――現場で考えた90～99報道検証』、

『メディアが市民の敵になる――さようなら読売新聞』、

『壊憲　翼賛報道――04～07メディア検証』（以上、現代人文社）など多数。

言いたいことは山ほどある——元読売新聞記者の遺言

二〇二三年三月一〇日　初版第一刷発行

著者————山口正紀
ブックデザイン——佐藤篤司
発行者————木内洋育
発行所————株式会社 旬報社
〒162-0041 東京都新宿区早稲田鶴巻町544
TEL 03-5579-8973　FAX 03-5579-8975
ホームページ https://www.junposha.com/

印刷・製本 ————中央精版印刷株式会社

 ISBN978-4-8451-1805-2